Alex Rühle
Zippel, das wirklich wahre Schlossgespenst

Alex Rühle, geboren 1969, studierte Komparatistik, Französisch, Theologie und Philosophie in München, Paris und Berlin. Er war schon Klinikclown, Stadtcafékellner und Grundschulenbauer in Malawi. Heute arbeitet er als Kulturredakteur bei der *Süddeutschen Zeitung.* Er lebt mit seiner Familie in einer Münchner Wohnung mit einem uralten Türschloss und ist sich sicher, dass es viel mehr Schlossgespenster gibt, als die meisten denken. *Zippel, das wirklich wahre Schlossgespenst* war sein Debüt als Kinderbuchautor und wurde sofort ein Riesenerfolg. Weitere Titel von Alex Rühle: siehe Seite 4

Axel Scheffler gehört weltweit zu den erfolgreichsten Kinderbuchillustratoren. Er wurde 1957 in Hamburg geboren, seit seinem Studium an der Bath Academy of Art arbeitet er als freier Illustrator in London. Seine mit unverwechselbarem humorvollem Strich gezeichneten Bücher werden in der ganzen Welt geliebt – mit dem *Grüffelo,* den er mit Julia Donaldson als Autorin veröffentlicht, hat er eine Figur geschaffen, die als moderner Kinderbuchklassiker gilt. Axel Scheffler lebt mit seiner Familie in London.

Alex Rühle

ZIPPEL

das wirklich wahre Schlossgespenst

Illustriert von
Axel Scheffler

dtv

Zu diesem Band gibt es ein Unterrichtsmodell
unter www.dtv.de/lehrer zum kostenlosen Download.

Von Alex Rühle ist bei dtv außerdem lieferbar:
Zippel – Ein Schlossgespenst auf Geisterfahrt
Traumspringer
Gigaguhl und das Riesen-Glück
(Mit Bildern von Barbara Yelin)

Für Nica und Sophie

Ungekürzte Ausgabe
4. Auflage 2021
© 2021 dtv Verlagsgesellschaft mbH & Co. KG, München
© 2018 dtv Verlagsgesellschaft mbH & Co. KG, München
Umschlagbild und -gestaltung: Axel Scheffler
Gesetzt aus der Sabon
Satz: Fotosatz Amann, Memmingen
Druck und Bindung: Litotipografia Alcione, Sr. l.
Printed in Italy · ISBN 978-3-423-71889-9

Kapitel 1

Paul ist ein Schlüsselkind. Wisst ihr, was das ist? Das sind Kinder, die einen eigenen Wohnungsschlüssel haben, obwohl sie noch recht klein sind. Ihre Eltern arbeiten so lange, dass keiner da ist, wenn sie nach der Schule oder Mittagsbetreuung nach Hause kommen. Also müssen sie sich selbst die Tür aufsperren. So ein Kind ist Paul.

Am ersten Schultag nach den Sommerferien klackerte Paul mit dem Schlüssel am Treppengeländer entlang. *Klongklongkling. Klongklongklang.*

Im ersten Stock begegnete er der alten Frau Wilhelm, die ihre geblümte Einkaufstasche dabeihatte. Frau Wilhelm war ziemlich seltsam. Sie lief oft im Treppenhaus auf und ab und stand vor irgendwelchen Türen herum. Manchmal machten Mama oder Papa morgens die Tür auf und dann stand sie da so, als hätte sie gerade bei ihnen gelauscht oder durchs Schlüsselloch geschaut.

»Hallo, Frau Wilhelm«, sagte Paul.

»Grüß dich, Paul«, sagte Frau Wilhelm, »dich hab ich ja lange nicht gesehen.«

Dabei starrte sie ihn mit ihrem rechten Auge an. Das andere Auge hatte sie wie immer zugekniffen. Als er kleiner war, hatte Paul sich deshalb sehr vor ihr gefürchtet. Inzwischen hatte er sich eigentlich daran gewöhnt, dass sie einen immer nur mit einem Auge ansah, aber wenn sie so nah an einen rankam und man all die vielen Falten um ihr zugekniffenes Auge sah, war es doch ziemlich unheimlich.

»Ja«, sagte Paul, »wir sind heute Nacht erst aus dem Urlaub zurückgekommen.«

»Und? War's schön im Urlaub?«, fragte Frau Wilhelm.

»Ja, schon«, sagte Paul, »aber seit heute ist wieder Schule.«

»Ach du Schreck«, rief Frau Wilhelm, »Schuuule! Isses schlimm?«

»Na ja«, sagte Paul, der die Schule wirklich schlimm fand. Nicht wegen dem Lernen oder seinem Lehrer, dem Herrn Ampermeier, der war ganz nett. Sondern wegen Tim und Tom, die ihn jeden Tag ärgerten. Und weil er meistens alleine auf dem Pausenhof rumstand, aber das wollte er jetzt nicht alles erzählen.

»Ich muss noch Hausaufgaben machen«, rief er. »Wiedersehen, Frau Wilhelm!«

»Wiedersehen, Paul!«, sagte Frau Wilhelm.

Paul lief noch zwei Stockwerke hoch, *klongklongkling, klongklongklang,* bis zu der Wohnung, an der *Fellmann* stand. Da wohnte er. Zusammen mit seiner Mama und seinem Papa. Sie waren die Fellmanns.

Paul steckte den Schlüssel ins Schloss und wollte ihn gerade umdrehen, als er ganz leise eine Stimme hörte: »Aua! Auauau. Zippelzefix, was ist denn das?«

Paul lauschte. War doch schon jemand zu Hause? Aber die Stimme klang überhaupt nicht nach seinen Eltern. Eher nach einem Kind. Er guckte sich um. Im Treppenhaus war niemand. Er legte sein Ohr an die Tür. Nichts. Er bewegte den Schlüssel noch mal im Schloss.

»Oioioioi«, rief die Stimme. »Was macht diese Stange hier drin?«

Paul zog den Schlüssel ab, legte sein Auge ans Schloss und guckte in die Wohnung. Er sah den leeren langen Flur. Zwei

halb ausgeräumte Urlaubskoffer standen rum, und am Ende des Flurs lehnten der Sonnenschirm und die Luftmatratze am Bücherschrank. Alles war ganz still. Aber halt, Moment mal, was war das denn? Paul erschrak. Links. Im Dunkel. Da bewegte sich was. Etwas Weißes. Im Türschloss! Paul zuckte mit dem Kopf zurück. Er stand ganz still vor der Tür, hielt den Atem an und lauschte. Er war sich nicht sicher, aber es klang, als würde jemand atmen. In der Tür.

»Ist da wer?«, fragte er.

»Neinnein«, sagte die Stimme. »Hier ist niemand. Keiner da.«

Paul hätte eigentlich erschrecken müssen, aber die Stimme klang so klein und ängstlich, dass er selber keine Angst hatte. Na ja, sagen wir mal: wenig Angst.

Er fragte vorsichtig: »Wirklich? Ist da niemand?«

»Jaja«, sagte die Stimme, »gar niemand. Wirklich wahr, keiner da.«

»Aber keiner kann ja reden«, sagte Paul.

»Keiner kann gar nichts, das ist nur der Wind.«

»Der Wind kann nicht reden«, sagte Paul.

»Ja, eben, ich ja auch nicht«, sagte die Stimme.

»Wenn ich keiner bin, ist auch keiner drin.«

»Willst du nicht trotzdem rauskommen?«, fragte Paul.

»Nein«, sagte die Stimme und dann, etwas leiser: »Trau mich nicht.«

»Ich tu dir nichts«, sagte Paul, »großes Ehrenwort.«

Es sah aus, als würde im Türschloss eine Lampe angehen. Dann

dachte Paul kurz, dass das Schloss eine leuchtende Kaugummiblase macht. Das Ding, das aus dem Schlüsselloch hervorquoll, wurde nämlich langsam größer. Erst sah es aus wie eine kleine weiße Erbse. Aber es wuchs, von der Erbse zum Tischtennisball zur Orange, zog sich in die Länge, löste sich sanft von der Tür und kam auf Paul zugeschwebt. Paul hielt den Atem an und starrte es stumm an. Das Ding war jetzt vielleicht so groß wie die Trinkflasche, die er immer in der Schule dabeihatte. Oder wie sein Stoff-Tiger. Es hatte große Augen und einen Mund, war ansonsten strahlend weiß und sagte: »Guten Morgen.«

»Oh. Ähm. Also, es ist schon spät, fünf Uhr nachmittags«, sagte Paul, »es gibt bald Abendessen.«

»Ah«, sagte das kleine Wesen. »Und wann gibt es Morgenessen?«

»Na, morgens«, sagte Paul. »Nach dem Aufstehen. Und das Morgenessen heißt Frühstück.«

Das weiße Wesen schien zu überlegen. Dann sagte es: »Aber ich bin doch gerade erst aufgestanden. Warum ist es dann schon spät für dich?«

»Weil ich morgens aufstehe. Wenn die Sonne aufgeht. Und wenn sie untergeht, geh ich ins Bett.«

»Aha«, sagte das seltsame Ding. »Die Sonne. Aha.« Dann sank es langsam zu Boden. »Oh«, machte es, »ohohoh.«

Es schien Ärmchen zu haben. Oder Flügel. Jedenfalls wedelte es mit diesen Stummelchen in der Luft herum, aber das half ihm auch nicht wirklich, es sank immer tiefer, bis es auf dem Boden landete.

Paul ging in die Hocke. »Kann ich dir helfen?«

»Neinnein. Ich lern das gerade erst so richtig mit dem Schweben und Fliegen. Das wird schon.«

»Aber … Was machst du denn in unserer Tür?«, fragte Paul und setzte sich im Schneidersitz auf den Boden.

»Na, ich wohn da drin. Aber doch nicht in der Tür. Ich wohn im Schloss.«

»Ach so, ja«, sagte Paul, »entschuldige. Und seit wann wohnst du in der … also im Türschloss?«

»Seit so ein bisschen«, sagte das weiße Wesen.

»Ah«, sagte Paul. »Bist du da drin geboren?«

»Ich bohr doch nicht in meinem eigenen Schloss rum. Du bist

der Bohrer. Es war alles genau richtig und sehr, sehr gemütlich da drin, bis du gerade mit dieser Stange in meiner Wohnung herumgebohrt hast.«

»Oh, tut mir leid«, sagte Paul. »Das wollte ich nicht. Aber warum wohnst du da drin?«

»Wie, warum? Wo soll ich denn sonst wohnen? Ich bin ein Schlossgespenst!«

Das kleine Ding sagte das so, dass es stolz klingen sollte. Es reckte sich dabei sogar ein wenig in die Höhe. Dann schwebte es auf Pauls Knie und sagte: »Schlossgespenster wohnen in Schlössern.«

»Aber doch nicht in solchen«, sagte Paul.

»Doch«, sagte das Gespenst. »Genau in solchen. Ehrlich wahr.« Dann sah es Paul fragend an. »In welchen denn sonst?«

»Na, in großen Schlössern. In denen die Könige leben und die Ritter und die Burgfräulein.«

»Bist du ein König?«, fragte das Gespenst.

»Nein, natürlich nicht, ich bin Paul.«

»Ah, ein Paul. Ist das so was wie ein Ritter?«

»Quatsch, das ist mein Name. So heiß ich. Und du?«

Das Gespenst hielt seine rechte Hand ein wenig in die Luft und sagte dann: »Gar nicht.«

»Du heißt *Garnicht*?«

»Nein. Ich meine, mir ist gar nicht heiß. Ich finde es eher kalt hier draußen.«

Paul musste ein Lachen unterdrücken. »Ich meine, wie du heißt. Hast du auch einen Namen?«

»Weiß nicht«, sagte das Schlossgespenst. »Vielleicht ... vielleicht Karaputzonogipolatüsomau?«

»Das ist doch kein Name«, sagte Paul.

»Warum nicht, klingt doch schön groß und gefährlich«, sagte das Gespenst und breitete seine Ärmchen aus, als wollte es Paul Angst einjagen. Es schwebte mit sehr ernstem Gesicht und nach vorn gereckter Faust auf Pauls Bein hin und her: »Oh, erzittert alle! Ihr Könige und Ritter und Pauls und alle, hier kommt Karaputzo ... Äh ... wie heiß ich noch mal?«

»Weiß ich nicht«, sagte Paul.

»Zippelzefix«, sagte das Gespenst. »Jetzt hab ich meinen eigenen Namen vergessen.«

»Zippel!«, rief Paul.

»Was?«, fragte das Gespenst.

»Zippel«, sagte Paul. »Du heißt Zippel.«

»Wirklich wahr? Woher weißt du das?«

»Ich weiß es nicht. Ich finde nur, Zippel passt zu dir.«

»Wirklich?« Das Gespenst dachte nach. »Zippel. Aha. Klingt das groß und stark und gefährlich?«

»Na ja«, sagte Paul, »ich finde, es klingt nach einem Schlossgespenst. Also nach einem ...«

Einem sehr kleinen Schlossgespenst, wollte Paul sagen, aber dann sagte er lieber: »... nach einem Schlossgespenst in einem Türschloss.«

»Gut. Sehr gut. Ein Schlossgespenst in einem Türschloss, ganz genau das bin ich! Dann heiß ich also Zip...« Zippel hielt plötzlich inne. »Pst. Da kommt wer.«

Tatsächlich. Unten im Treppenhaus ging das Licht an. Schritte waren zu hören. Dann knarzte die Treppe.

»Oh, oh, oh«, sagte Zippel. »Das ist sicher ein Awachsana.«

»Ein was?«

»Ein Awachsana.«

»Meinst du ein Erwachsener?«, fragte Paul.

»Sag ich doch. Hörst du mir denn gar nicht zu?«

»Und vor denen hast du Angst?«

»Oh ja, oh ja, oh ja. Awachsana sind böse. Alle. Sehr böse. Also verrat mich nicht. Ja?«

»Versprochen«, sagte Paul.

Das kleine Gespenst wischte wie ein Leuchtstreifen durch die Luft in Richtung Tür. Dann sah es aus, als würde es vom Türschloss eingesaugt, es wurde kleiner und kleiner und nach zwei Sekunden war es weg. Kurz leuchtete es noch im Schloss, dann war wieder alles dunkel.

»Hallo, Paul.«

Pauls Papa hatte seinen Anzug an, wie immer, wenn er aus der Arbeit kam. Er sah müde aus.

»Oh, hallo, Papa«, sagte Paul, der immer noch vor der Tür hockte. »Hast du heute früher frei?«, fragte er.

Es war ja erst nachmittags. Papa kam eigentlich immer abends aus der Arbeit.

Statt zu antworten, sagte Papa: »Warum sitzt du denn hier im Treppenhaus?«

»Ich ... Ach, ich hab heute Morgen meinen Schlüssel vergessen.«

»Hab ich dir das nicht schon oft erklärt«, sagte Pauls Papa, während er seinen Schlüsselbund aus der Tasche holte, »bevor man aus dem Haus geht, immer noch mal nachdenken: Hab ich alles? Schlüssel dabei? Geld und …«

»Jaja«, unterbrach ihn Paul und sprang auf. »Ich weiß schon.

Schlüssel, Geld und Schulranzen. Aber darf ich bitte deinen Schlüssel haben? Ich würd gern die Tür aufsperren.«

»Ach so«, sagte Pauls Papa, »selbstverständlich«, und gab ihm den Schlüssel.

Paul linste kurz ins Schlüsselloch, sagte leise: »Vorsicht«, und schob den Schlüssel ganz langsam hinein.

»Was hast du gesagt?«, fragte Papa.

»Nichts, nichts«, sagte Paul. Dann flüsterte er wieder: »Ich muss den jetzt umdrehen, pass auf.«

»Geht es dir gut?«, fragte Papa, der sich wunderte, dass Paul in die Tür reinmurmelte.

»Jaja«, sagte Paul. »Sehr gut. Und dir?«

Er drehte den Schlüssel ganz vorsichtig um.

»Na ja«, sagte Papa, »geht so.«

Beim Umdrehen im Schloss wackelte der Schlüssel plötzlich ein wenig.

»Oh«, flüsterte Paul, »hab ich dir wehgetan?«

»Redest du mit mir?«, fragte Papa.

»Ja«, sagte Paul. »Wie war's so in der Arbeit?«

»In der Arbeit«, wiederholte Papa. »Ja … na ja …« Papa schien zu zögern. Dann sagte er: »Ach, es war wie immer. Ein bisschen langweilig.«

»Ah«, sagte Paul, ohne richtig zuzuhören. Er hatte den Schlüssel jetzt ganz umgedreht. Die Tür ging auf.

»Und wie war's bei dir so?«, fragte Papa.

»Auch ganz langweilig«, log Paul.

Eine Stunde später jagte ihm seine Mama beim Abendessen einen Riesenschrecken ein. Es gab Nudeln. Ehrlich gesagt, etwas verkochte Nudeln. Also ganz ehrlich gesagt, war's ein Haufen Nudelpampe. Mama hatte nämlich während des Kochens an ganz andere Sachen gedacht. An ihre Aufführung in der nächsten Woche. Pauls Mama ist Sängerin. An der Oper. Sie singt da im Chor. Manchmal darf sie aber auch als Solistin singen. Solisten sind die, die ganz alleine singen. Da hören dann alle jeden Fehler. Pauls Mama singt wahnsinnig gern, aber sie ist auch immer wahnsinnig aufgeregt, wenn sie alleine singen muss. Also hatte sie die ganze Zeit an diese Aufführung in der nächsten Woche gedacht und nicht an die Nudeln, und jetzt mussten sie eben ziemlich klebrige weiche Spaghetti essen.

Paul sagte trotzdem, dass es sehr lecker schmeckt. Papa sagte nichts, sondern aß schweigend seine Nudeln. Und dann kam dieser Satz, der Paul einen Riesenschreck einjagte. Mama fragte Papa, ob er am Freitag früher von der Arbeit heimkommen könnte.

»Äh, was«, fragte Papa, so als hätte er gar nicht zugehört, »warum?«

»Hab ich dir doch heute schon am Telefon erzählt«, sagte Mama. »Da wird das Schloss ausgewechselt.«

»Waaaas?«, fragte Paul und ließ seine Gabel mit den verklumpten Nudeln sinken. »Welches Schloss?«

»Na, das von der Wohnungstür«, sagte Mama. »Das wollen wir schon lange machen.«

Paul rief: »Aber das Schloss ist doch voll schön!«

»Seit wann findest du denn unser Türschloss schön?«, fragte Mama.

»Das ist mein Lieblingsschloss«, rief Paul. »Wirklich. Es gibt doch gar kein schöneres Schloss. Das hat so ein tolles Loch zum Durchgucken. Und … Und es klingt auch so schön, wenn man den Schlüssel rumdreht. Und es riecht gut.«

Mama und Papa sahen einander verwundert an.

Dann sagte Papa: »Das ist uralt. Und es ist auch technisch gar nicht auf dem neuesten Stand. Es gibt heutzutage Sicherheitsschlösser, die …«

»Aber sonst mögt ihr doch immer uralte Sachen«, unterbrach ihn Paul. »Die braunen Stühle im Wohnzimmer, da sagt ihr immer, ich soll aufpassen, die sind so toll, weil sie uralt sind. Und Mamas Opernmusik ist uralt, und ihr sagt trotzdem, das ist die allerschönste Musik.«

»Ja«, sagte Mama, »aber ein Schloss soll ja nicht schön klingen, sondern funktionieren. Und unser Schloss klemmt seit einiger Zeit, wenn man den Schlüssel umdreht. Wir wollten es eh schon lange auswechseln, deshalb war ich vorhin bei Herrn Ritsche drüben und jetzt kriegen wir endlich ein neues.«

Herr Ritsche war ihr Hausmeister, der immer alles reparierte.

»Oh«, sagte Paul. »Aha. Und wann?«

»Hab ich doch schon gesagt. Am Freitag. In drei Tagen.«

»Oh, echt? Am Freitag?«, fragte Papa.

»Mann, hört mir denn hier gar niemand zu!«, rief Mama genervt. »Ja, an diesem Freitag!«

Paul schaute auf seinen Nudelpampeteller und die Ketchuppfütze und sagte nichts mehr.

Alle drei aßen schweigend vor sich hin, bis Mama sagte: »Du, Paul, Papa und ich müssen gleich noch schnell zum Elternabend.«

»Ach was«, sagte Pauls Papa. »War das heute?«

»Ja! Das hab ich dir auch schon zweimal gesagt. Was ist denn nur los mir dir?«

»Nichts, nichts«, sagte Pauls Papa, und es sollte ganz unbeschwert klingen, aber es klang ziemlich seltsam. Irgendetwas stimmte nicht mit ihm, aber Paul kriegte es nicht mit, weil er die ganze Zeit nur an Zippel dachte, und Mama war sauer, weil ihr keiner zuhörte.

Als sie dann fragte, ob sie Paul solange alleine lassen könnte, sagte er: »Oh klar, kein Problem.«

»Bist du sicher?«

»Ja, wirklich«, sagte Paul, »ich geh dann einfach allein ins Bett.«

Mama wunderte sich kurz, eigentlich musste sie Paul jeden Abend ins Bett bringen, aber dann seufzte sie erleichtert. »Danke, Paul. Und wir beeilen uns. Allein ins Bett musst du bestimmt nicht.«

Kapitel 2

Seine Eltern waren kaum aus der Wohnung raus, da rannte Paul schon zur Tür.

»He, Zippel, kannst du mich hören?«

»Zippel kann dich hören, hat ja gute Öhren«, sang es aus dem Türschloss.

»Komm mal raus, ich muss dir was erzählen.«

Das Gespenst sang einfach weiter. **»Draußen steht der Paul, Zippel drin ist faul.«**

»Bitte«, sagte Paul nervös, »ist echt wichtig.«

»Ist der Paul sehr aufgeregt, kommt der Zippel angeschwebt.« Und plopp, kam er aus dem Schloss raus.

»Was ist denn?«, fragte er.

»Meine Eltern wollen dein Schloss auswechseln.«

»Waas?«, fragte Zippel. »Auswechseln? Wie? Wann? Warum?«

»Sie sagen, das Schloss ist uralt.«

»Zippelzefix!« Zippel fing an, unruhig hin und her zu schweben. »Das … das ist überhaupt nicht uralt, das ist genau richtig

alt. Das geht doch nicht, das ist mein Zuhause. Ich werde deine Eltern verzaubern.«

»Kannst du denn zaubern?«

Zippel blieb still in der Luft stehen und überlegte. »Nein. Aber dann lern ich das jetzt. Hast du ein Zauberbuch? Gib mir ein Zauberbuch, schnell!«

»Na ja«, sagte Paul, »das wirst du so schnell nicht schaffen. Der Schlosser kommt nämlich schon bald.«

»Der Schlossherr? Gehört euer Schloss schon jemandem?«

»Nein, der Schlosser. Das ist der Mann, der das Schloss austauscht. Eigentlich unser Hausmeister, aber der hat im Keller eine kleine Werkstatt und macht lauter so Handwerkszeug.«

»Oh«, rief Zippel. »Ein Hausmeister. Die sind böse. Die bösesten Awachsanan auf der Welt. Den verzauber ich auch! Den am allermeisten!«

Zippel schwebte im Flur hin und her und knetete mit seinen Ärmchen nervös in der Luft herum. **»Zauberzauberziebel, der Schlosser wird zur Zwiebel.«**

Er war wirklich ganz aufgebracht und leuchtete jetzt noch weißer als vorhin im Treppenhaus. »Nein, warte, warte, ich weiß was viel, viel Böseres: **Kommt der Schlosser übermorgen, werde ich sein Werkzeug borgen.** Wann kommt der denn, der blöde Blödmann?«

»In drei Tagen.«

Zippel ließ auf einmal die Arme fallen und sank zu Boden, wie ein Ballon, aus dem langsam die Luft entweicht. Dann hielt er sich die Hände vor die Augen und weinte bitterlich: »Buhuhu-

huuu. Ein Schlossgespenst ohne Schloss, das geeeeht doch nicht. Wo soll ich denn jetzt wooooohnen?«

»Huch«, sagte Paul, »wo kommt denn der ganze Staub her?«

Zippel war nämlich plötzlich über und über mit Staubfäden behängt.

»Oh«, sagte er, »entschludige, ich habe geweint.«

Zippel wischte sich die silbrigen Fäden ab, die als Staub leise zu Boden rieselten. Er leuchtete gar nicht mehr so schön wie eben noch, sondern sah eher grau aus als weiß. Paul wischte die dünnen Fäden rings um Zippel zusammen und hob sie auf.

»Siehst du das«, rief Zippel und zeigte auf das kleine Häufchen Tränenstaub in Pauls Hand. »Siiiehst du daaas?!«

Er klang jetzt schon wieder eher wütend als traurig. »Schlossgespenster weinen ganz selten. Eigentlich gar nie. Höchstens manchmal. Kaum. Aber nicht oft. So ab und zu, also extrem sehr selten.«

»Ah ja«, sagte Paul, »das ist wirklich nicht oft. Aber es ist alles nicht so schlimm. Wir haben ja drei Tage Zeit, um ein neues Schloss für dich zu finden.«

»Das ist schon schlimm!«, rief Zippel. »Und wie das schlimm ist! Das muss nämlich ein altes Schloss sein. Ein Schloss, in das ich reinpasse. Mit bisschen Öl und bisschen Rost und bisschen Schmutz. Du weißt ja gar nix. Wirklich wahr.«

»Ach so«, sagte Paul. »Was passiert denn, wenn du kein Schloss hast?«

»Dann werd ich erst grau und dann krank und dann – buhuhuuuu!«

Die Staubfäden flogen schon wieder durch die Gegend. Und Zippel sah so grau aus, dass er Paul eher an einen fliegenden Putzlumpen erinnerte als an ein kleines leuchtendes Schlossgespenst.

»Okay, okay«, rief Paul, »wir suchen dir ein neues altes Schloss mit viel Öl und Rost und Schmutz. Wir finden ganz bestimmt was Passendes«, sagte er, obwohl er keine Ahnung hatte, wie er das anstellen sollte. »Jetzt komm erst mal mit.«

Paul ging den Flur entlang zu seinem Zimmer. Zippel schwebte hinter ihm her und sah sich neugierig im Flur um. Hinter ihm fiel lautlos eine letzte Staubfadenträne zu Boden.

»Hier lebst du also?«, fragte er.

»Ja, das ist unsere Wohnung. Ich wohn hier mit Mama und Papa.«

»Huiuiui«, sagte Zippel und klang sehr beeindruckt. »Eure Wohnung ist viel größer als mein Schloss. Ist dein Papa ein König?«

»Aber nein, der ist Lehrer.«

»Echt? Ist der leerer als ich?«

»Bist du denn innen leer?«, fragte Paul verwundert.

»Latürnich. Gespenster sind aus Luft und Licht und Zeit gemacht und sonst gar nichts. Warum lachst du?«

»Weil das der Obelix oft sagt.«

»Ist das auch ein Gespenst aus Luft und Licht?«

»Oh nein«, sagte Paul, »der ist aus Fett und Fleisch und so ziemlich das Gegenteil von dir. Aber er sagt oft ›latürnich‹.«

»Ah so, ah ja«, sagte Zippel, der ihm gar nicht richtig zuhörte, weil sie jetzt in Pauls Zimmer angekommen waren. Zippel blieb staunend in der Luft stehen und fragte flüsternd: »Oh, oh, oh, was ist denn das hier?« Er hatte Pauls Eisenbahn entdeckt, die mitten im Zimmer stand.

»Das ist meine Eisenbahn«, erklärte Paul und schob die Waggons die Gleise entlang.

»Uuuh!«, juchzte Zippel, der jetzt wieder weiß leuchtete und vor Aufregung auf und ab schwebte wie ein Gummiball. »Uhuhuhuu! Das ist ja toll! Kann ich mitfahren?«

»Ja klar, gerne«, sagte Paul.

Zippel schwebte zum letzten Waggon, schrumpfte auf die Hälfte seiner Größe und sank sanft auf das Dach hinab. Paul staunte, wie sich Zippel einfach kleiner machen konnte. Er hatte das zwar schon zweimal gesehen, wenn er aus dem Schloss rauskam oder darin verschwand, aber so mitten im Zimmer war es fast noch beeindruckender.

Paul schob die Bahn los und Zippel ließ sich im Kreis rumfahren.

»Geht das nicht schneller?«, fragte Zippel nach der ersten Runde.

»Doch«, sagte Paul und schob schneller.

»Hier kommt die Geisterbahn«, rief Zippel.

Paul musste lachen. »Weißt du, was eine Geisterbahn ist?«

»Na, das hier«, rief Zippel. »Das ist eine Bahn, ich bin ein Geist, also Geisterbahn.«

»Ja, aber Geisterbahnen gibt's in ganz groß.«

»Oh«, sagte Zippel und schaute sich aufgeregt im Zimmer um. »Wo denn?«

»Doch nicht hier bei mir, die sind viel zu groß für mein Zimmer. Auf dem Oktoberfest zum Beispiel. Die Geisterbahn ist so riesig, da fahren sogar Erwachsene mit rum. Und fürchten sich.«

»Wovor fürchten sich denn Awachsana? Das sind doch die, vor denen *ich* mich fürchte.«

»Na, vor den Geistern.«

Zippel lachte und lachte: »Da muss man sich doch nicht fürchten. Ich tu denen doch nichts. Ehrlich wahr.« Er schüttelte den Kopf. »Awachsana sind manchmal ganz schön bescheuert.«

»Die Geister in der Geisterbahn sind sehr hässlich«, sagte Paul. »Riesengroß, mit Blut vorm Mund und raushängendem

Auge und einer Axt im Kopf, und dazu stöhnen sie oder schreien plötzlich.«

»Oh, haben die sich alle verletzt?«, fragte Zippel. »Ist die Geisterbahn ein Krankenhaus für Gespenster?«

»Nein, das sind gar keine echten Gespenster, sondern Puppen, die gruslig aussehen, damit die Leute sich erschrecken. Wir können da ja mal hingehen, wenn wieder Oktoberfest ist.«

»Au ja. Morgen?«

»Nein, das Oktoberfest ist in ein paar Wochen.«

»Einpawochen?«, fragte Zippel. »Ist das eine große Stadt?«

»Das ist kein Ort. Eine Woche sind sieben Tage. In zwei Wochen fängt das Oktoberfest an, da musst du also noch ein bisschen warten.«

»Na gut«, sagte Zippel, »dann warte ich eben. Und was machen wir solange?« Er schaute sich erwartungsvoll im Zimmer um und rief plötzlich: »Oh, halthalt, anhalten bitte.«

Paul hielt den Zug an. Zippel schwebte vom Waggon weg und wurde dabei wieder größer.

»Das ist wirklich toll«, sagte Paul, »wie du dich kleiner und größer machen kannst.«

»Jaja«, sagte Zippel, ohne richtig zuzuhören. »Aber was ist denn das hier?«

»Mein Kaufmannsladen«, sagte Paul. Er hatte einen kleinen Laden, in dem es all die Dinge gab, die man in einem Geschäft kaufen kann, Obst, Milch, Brot, Waschmittel, alles in klein.

Zippel schwebte hinter die Ladentheke, wo die Kasse aus Metall stand. »Nein, das hier mein ich.«

»Das ist die Kasse für den Laden.«

»Ah, und was macht man damit?«

»Da kommt das Geld rein«, erklärte Paul und machte das kleine Schubfach auf, in dem lauter Ein-, Zwei- und Zehncentstücke lagen.

»Huuuuuu!«, juchzte Zippel und schwebte wieder auf und ab. »Huhuhu! Du bist ja doch ein König.«

»Ich? Nein. Wie kommst du denn darauf?«

»Na, du hast einen Schatz. Einen riesigen Funkelschatz.«

»Das ist das Wechselgeld. Wenn jemand bei mir einkauft, gibt er mir Geld und ich geb ihm was zurück.«

»Ohohoho, wie das alles glitzert! Wer kauft denn da ein?«

»Na, zum Beispiel Freunde. Oder Mama und Papa.«

»Haben deine Eltern keine eigenen Sachen?«

»Doch, die kaufen ja nur im Spiel …«

»Pst«, unterbrach ihn Zippel und lauschte. »Da kommt wer.«

Tatsächlich, die Treppe im Treppenhaus knarzte von schweren Schritten.

Paul sah sich im Zimmer um. Wo konnte er Zippel verstecken? Er hörte, wie ein Schlüssel ins Wohnungsschloss gesteckt wurde. Zippel schrumpfte in der Luft erbsenklein zusammen, huschte in die Geldschublade der Kasse und flüsterte: »Schnell, mach zu.«

»Ja, gute Idee.« Paul machte die Kasse zu.

Im selben Moment steckte Pauls Mama ihren Kopf zur Tür rein.

»Hallo, Paul«, sagte Mama.

»Hallo.« Paul versuchte zu lächeln.

»Oh, der Kaufladen«, sagte Mama. »Damit hast du ja lange nicht gespielt. Verkaufst du mir noch was?«

»Äh, nein, der Laden hat leider zu, ist ja schon Abend.«

Mama lachte. »Stimmt. Soll ich dir gleich noch was vorlesen?«

»Nein, geht schon, ich bin sehr müde«, log Paul.

»Oh«, sagte Pauls Mama, die ihm sonst jeden Abend vorlesen musste. »Okay.«

Paul ging zu seinem Bett und schlüpfte unter die Decke. »Gute Nacht. Kannst du noch die Tür zumachen, das Licht im Flur ist so hell.«

»Na so was«, sagte Mama. Eigentlich musste die Tür immer sperrangelweit offen stehen, weil Paul sich so vor Gespenstern und Geistern fürchtete. »Gut, dann mach ich eben zu. Schlaf gut, du Lieber!«

»Du auch«, sagte Paul.

»Ich auch«, sagte Zippel. »Ich lieber Lieber.«

Pauls Mama hatte die Tür schon fast zugemacht, aber jetzt steckte sie doch noch mal ihren Kopf herein: »Was hast du gesagt?«

»Hab dich lieb«, sagte Paul. »Gute Nacht!«

»Gute Nacht, Paul.«

Es war jetzt ganz dunkel im Zimmer. Paul wartete, bis er im Wohnzimmer den Fernseher hörte. Dann sprang er aus dem Bett und machte leise die Kasse wieder auf. »Puh«, sagte er, »das war knapp.«

»Ja«, sagte Zippel ganz begeistert. **»Knippknapp zappzerapp, fast hätt Mama mich gehapp.«**

»Aber wo bleibst du denn heute Nacht?«, fragte Paul.

»Ich geh in mein Schloss.«

»Ich fürchte, das ist dir zu eng. Mein Papa steckt da immer seinen Wohnungsschlüssel rein.«

»Was? In mein Schloss?«, fragte Zippel empört.

»Der weiß ja nicht, dass das neuerdings deins ist. Das macht er immer. Er sagt, dann weiß er morgens, wo sein Schlüssel ist. Aber ich glaube, er macht das auch, damit kein Einbrecher kommt.«

»Und wenn zwei Brecher kommen?«

Paul verstand erst gar nicht, was Zippel meinte. Dann lachte er: »Einbrecher. Das sind Diebe. Die brechen nachts in Wohnungen ein und klauen Sachen.«

»Die sollen nur kommen, denen werd ich's zeigen«, sagte Zippel und fuchtelte wild mit seinen Ärmchen. »Menno, menno, menno. Ich muss in meinem Schloss schlafen. Kannst du den doofen Schlüssel von deinem Papa nicht rausziehen?«

Paul überlegte. »Okay, ich versuch's.« Leise machte er seine Tür auf und schaute in den leeren Flur. Aus dem Wohnzimmer waren Stimmen zu hören. »Los, schnell«, flüsterte Paul, »die schauen grade fern.« Er lief auf Zehenspitzen zur Wohnungstür.

Zippel überholte ihn und sang dabei vor sich hin:

**Schauen deine Eltern fern,
können sie uns gar nicht hörn.**

»Pst«, machte Paul, zog vorsichtig den Schlüssel ab und legte ihn auf die Kommode. »Okay, rein mit dir.«

»Danke«, sagte Zippel, während er auf sein Schloss zuschwebte. Er wurde kleiner und kleiner, bis er nur noch ein leuchtender Punkt war. Dann verschwand auch der.

»Schlaf gut«, flüsterte Paul.

Während er in sein Zimmer zurückschlich, hörte er, wie Zippel sang:

**Zippel schläft jetzt, gute Nacht,
Wiedersehn, hat Spaß gemacht.**

Kapitel 3

Als Paul am nächsten Morgen aufwachte, überlegte er, ob er die ganze Geschichte mit Zippel nur geträumt hatte, aber dann sah er die offene Kaufmannskasse und den Zug, der noch immer genau da stand, wo sie ihn gestern hatten stehen lassen. Er sprang aus dem Bett und zog sich so schnell an, wie er nur konnte. In der Küche hörte er seine Mutter das Frühstück machen. Als er in den Flur kam, erschrak er: In der Wohnungstür steckte wieder der Schlüssel. Anscheinend hatte Papa abends noch entdeckt, dass Paul ihn aus dem Schloss gezogen hatte, und hatte ihn einfach wieder reingesteckt.

Paul lief zur Tür und flüsterte: »Zippel?«

Nichts.

Er legte sein Ohr an die Tür und flüsterte: »Hey, Zippel, kannst du mich hören?« Es blieb still.

»Guten Morgen, Paul.« Mama stand in der Küchentür und schaute den Flur runter. »Alles klar mit dir?«

»Oh, hallo, Mama«, sagte Paul. »Ja, ich dachte nur, da sind komische Geräusche im Treppenhaus. Hab mich wohl geirrt.«

»Kommst du frühstücken? Es ist schon ziemlich spät.«

»Ja klar«, sagte Paul. »Ich wasch mir nur noch schnell das Gesicht.«

Er ging ins Bad, machte den Wasserhahn an, dass es schön laut rauschte und so klang, als ob er sich wäscht, und lief wieder zur Wohnungstür. Er klopfte leise mit dem Finger gegen die Tür, ganz in der Nähe des Schlosses. »Zippel? Bist du da? Zippel! Sag doch was!«

Paul wartete kurz, aber nichts geschah. Dann guckte er ins Schloss. Alles war dunkel. Paul spürte einen Stich im Herz. Zippel konnte doch nicht einfach weg sein.

Aus der Küche rief Mama: »Paul, kommst du? Es ist gleich halb acht!«

»Komm ja schon«, sagte Paul leise. Er machte schnell den Wasserhahn im Bad aus, ging in die Küche und frühstückte mit seiner Mama. Er kratzte gerade den schwarzen Ruß vom Toast, der seiner Mutter mal wieder angebrannt war, als sie fragte, ob ihn irgendwas bedrückt: »Du bist so still heute Morgen.«

»Ach, nein«, sagte Paul, »ich hab nur keine Lust, in die Schule zu gehen.«

»Das versteh ich«, sagte Mama, »ich hab nächste Woche diese Opern-Aufführung und bin jetzt schon so aufgeregt, weil …«

»Machst du mir noch ein Pausenbrot?«, unterbrach Paul sie.

»Ja klar«, sagte Mama.

»Toll, danke«, sagte Paul. »Machst du mir auch was drauf diesmal? Gestern hast du mir zwei trockene Scheiben Brot eingepackt.«

»Oh, wirklich?«, fragte Pauls Mama. »Das tut mir leid, ich bin so zerstreut gerade. Meine Rolle in der Oper ist unglaublich schwierig …«

Paul hörte ihr gar nicht zu, er war nämlich in sein Zimmer gerannt, wo er schnell noch einen kleinen Zettel schrieb, den er in den Kaufmannsladen legte:

> Lieber Zippel, wo bist du denn? Tut mir leid mit Papas Schlüssel. Ich muss in die Schule, aber heute Nachmittag bin ich wieder da. Du hoffentlich auch.
> Dein Paul.

Dann ging Paul in die Schule. Und da war es wie immer. Tim und Tom ärgerten ihn in der ersten Pause. Sie ärgerten ihn in der zweiten Pause. Und sie ärgerten ihn zwischendrin, wenn Herr Ampermeier gerade nicht aufpasste. Tim war einen Kopf größer als Paul, Tom war doppelt so breit und doppelt so dick wie Paul. Paul hatte gegen die beiden keine Chance. Anfangs hatte er manchmal zurückgehauen, wenn sie im Pausenhof an ihm vorbeigingen und ihn so schnell hauten oder zwickten, dass es keiner der Lehrer sah. Oder er war weggelaufen. Aber da waren sie ihm erst recht hinterhergerannt. Wenn er sich wehrte, schien ihnen das Ärgern noch mehr Spaß zu machen als sonst. Weshalb er es irgendwann aufgegeben hatte. Er ließ ihr Gehänsel, ihre Gemeinheiten und ihre Beleidigungen einfach über sich ergehen. Es war wie mit schlechtem Wetter. Wenn man am Horizont die dunklen Wolken sieht, hofft man, dass der Regen vorbeizieht. Wenn es regnet, wird man eben nass, und dann wartet man, bis es wieder trocken ist. Der Unterschied zwischen Regen und Ärgern ist: Die Kleider werden wirklich wieder ganz trocken, aber die Seele nicht. Es gibt Wörter, die sind so gemein, dass sie in einem stecken bleiben wie ein Holzsplitter unter der Haut. Oft hörte Paul abends im Bett noch ihre Beleidigungen: *Paul hat keine Freunde. Paul stinkt nach Einsamkeit. Paul ist superblöd.*

Heute war es wieder besonders scheußlich. Tim nahm Paul in der ersten Pause sein Pausenbrot weg, Tom schüttete ihm im Malunterricht ein bisschen Wasser aus seinem Pinselbecher in den Kragen. Der Unterschied war, dass es Paul weniger ausmachte als sonst. Er dachte nur an Zippel, und dass er hoffentlich, hoffentlich noch da war und dass er ihn bald wiedersehen würde. Er zählte einfach die Stunden, bis er endlich wieder heimdurfte.

Irgendwann war das Mittagessen vorbei. Und als um halb vier endlich, endlich auch die Nachmittagsbetreuung um war, radelte Paul so schnell wie nie zuvor nach Hause und übersprang im Treppenhaus jede zweite Stufe.

Als er oben ankam, war er ganz außer Puste. Er blieb vor der Wohnungstür stehen, wartete, bis sein Herz nicht mehr raste und bis sein Atem wieder ruhiger wurde. Dann lauschte er. Aber es war nichts zu hören. Paul kniff das rechte Auge zu und schaute mit dem linken ins Schloss hinein. Im Flur standen immer noch die Urlaubskoffer rum. Aber im Schloss war alles dunkel.

Er richtete sich wieder auf und fragte leise: »Zippel?«

Draußen im Hinterhof war das schrubbende Geräusch eines Besens zu hören. *Schscht, schscht, schscht.* Ansonsten war alles still.

Paul fragte noch mal: »Zippel? Kannst du mich hören?«

Nichts.

Paul steckte ganz vorsichtig den Schlüssel ins Schloss und drehte ihn langsam um. Die Tür ging leise knarzend auf. Paul zog den Schlüssel ab. Er stand im leeren Flur und rief in die Wohnung hinein: »Zippel? Bist du da?«

Als es wieder still blieb, ging er in sein Zimmer. Da stand die Eisenbahn. Genau so, wie er sie gestern hatte stehen lassen. Der Zettel, den er am Morgen geschrieben hatte, lag immer noch neben der Kasse.

Paul ließ seinen Schulranzen langsam vom Rücken gleiten und merkte, wie sich die Traurigkeit in ihm ausbreitete. Zippel

war weg. Papa hatte ihn vertrieben mit seinem Schlüssel. So ein Mist!

Paul guckte raus in den Hof, wo Herr Ritsche Blätter zusammenkehrte, während er sich mit der alten Frau Wilhelm unterhielt. Frau Wilhelm hatte wie immer ihre geblümte Einkaufstasche dabei und ihr linkes Auge zusammengekniffen und lachte über irgendetwas, während Herr Ritsche weiterkehrte. *Schscht, schscht, schscht.* Paul hatte die Stirn ans kalte Fenster gelehnt und schaute dem Hausmeister sicher fünf Minuten zu, aber er merkte gar nicht, dass er überhaupt raussah. Er war einfach nur traurig. Aber dann stutzte er plötzlich. Und hielt den Atem an. Sang da jemand? Ein Kind? Leise Töne. Ganz in der Nähe. Hier in der Wohnung irgendwo. Paul ging in den Flur und lauschte. Die Geräusche kamen aus dem Schlafzimmer von Mama und Papa. Paul ging den Flur entlang und guckte vorsichtig um die Ecke.

Der große Kleiderschrank seiner Eltern stand offen. Mehrere Schubladen waren rausgezogen, am Boden lagen Socken und Unterhosen rum. Zippel musste irgendwo tief in einer der Schubladen stecken, man hörte ihn singend herumkruschteln. Zack, da kam eine rote Socke aus dem Schubfach geflogen. Und eine blaue hinterher.

Pauls Herz machte einen kleinen Sprung vor Freude. »Was machst du denn da?«, fragte er.

Es war kurz still im Schrank. Dann kam Bewegung in den Sockenberg und nach wenigen Sekunden tauchte Zippel dazwischen auf. Er hatte sich eine Socke umgelegt wie eine Decke.

36

»Hier gibt es so tolle Sachen«, sagte Zippel. »Mäntel. Bettdecken. Alles zum Reinschlüpfen.« Er setzte sich mit seinem Gespensterpopo auf ein Sockenpaar, wippte vor und zurück und sagte: »Und so wabbelweiche Dinger zum Draufsetzen.«

Dann schwebte er vor ans Ende der Schublade und blickte über den Rand nach unten. Auf dem Boden lagen mehrere von Papas Unterhosen. Er zeigte auf den Boden. »Du, also, kann ich vielleicht eine von diesen wunderschönen Fahnen haben? Vielleicht die rote da?«

»Das sind die Unterhosen von meinem Papa«, sagte Paul. »Der hat die alle durchgezählt und wundert sich sicher, wenn plötzlich eine weg ist. Ich hab bestimmt auch irgendetwas, was wir als Fahne nehmen können.«

»Ha«, rief Zippel, aber es klang plötzlich richtig wütend. »Dein Papa! Das ist ein böser Mann! Ein ganz scheußlicher Mensch ist das. So ein richtiger Awachsana. Jawohl.«

»Warum?«, fragte Paul.

»Warum!«, rief Zippel, so als sei völlig klar, warum Pauls Papa der böseste Mensch auf der ganzen Erde sein musste. »Ich sag dir, warum. Der hat heute Nacht mein Schloss mit seinem Schlüssel verrammelt. Ich hatte überhaupt keinen Platz mehr und war eingequetscht, und alles tut mir weh und das geht doch nicht und ich hab überhaupt nicht geschlafen. Ehrlich wahr.«

»Oh. Das tut mir leid. Aber Papa weiß doch nicht, dass du im Schloss wohnst, der hat das nicht absichtlich gemacht.«

»Aber er hat es gemacht und das ist mein Schloss, und jetzt weiß ich nicht, wo ich schlafen soll.«

»Da finden wir was«, sagte Paul, während er anfing, die Unterhosen vom Boden aufzuheben und in die Schublade zurückzuräumen. »Versprochen. Aber jetzt hilf mir erst mal kurz aufräumen.«

»Was ist aufräumen?«, fragte Zippel.

»Wenn man alles an seinen Platz zurücklegt. Mein Papa hat so einen komischen Tick, der sortiert all seine Kleider streng nach Farben. Also muss ich das jetzt wieder so machen.«

Während Paul die schwarzen Socken auf einen Haufen sortierte und dann die roten und die grauen, saß Zippel auf dem Rand der Schublade, schaute ihm zu und sang ein kleines Aufräumlied:

**Grau ist hiiier, rot ist daaa,
Papa denkt sich: wunderbaaa!**

Paul machte dasselbe noch mit den Unterhosen, schwarzer Haufen, weißer Haufen, die zwei blauen, die zwei roten, und Zippel sang:

**Schwarz ist dunkel, weiß ist hell,
Papa findet alles schnell.**

Als er fertig war, sagte Paul: »Komm, wir gehen in mein Zimmer.«

»Aber wart doch mal«, sagte Zippel, »kann ich mir vielleicht den Schlafsack hier mitnehmen?« Zippel hielt eine einzelne blaue Socke hoch.

Paul überlegte kurz und sagte: »Okay, das wird er schon nicht merken, davon hat er ja so viele.«

Dann ging er aus dem Schlafzimmer. Zippel schwebte hinter ihm her und fragte: »Wo warst du überhaupt? Ich bin aufgewacht, da warst du ganz weg.«

»Ich war in der Schule. Hab ich dir doch geschrieben.«

»Weiß ich doch nicht. Ich kann nicht lesen.«

»Ach so«, sagte Paul. »Echt? Das wusste ich nicht. Soll ich es dir beibringen?«

Zippel nickte begeistert. »Au ja!«

»Okay, komm mit.« Paul ging in sein Zimmer, setzte sich an den Schreibtisch, malte ein großes A auf ein Blatt und sagte dazu: »Das ist ein A.«

»Also ehrlich wahr, das ist doch kein A, das ist ein Haus«, widersprach das Gespenst ganz geduldig.

»Ja, stimmt, sieht aus wie ein Haus«, sagte Paul, »aber man sagt A dazu.« Paul malte noch einen Buchstaben. »Und das ist ein O.«

»Aber nein«, sagte Zippel, »ich sag dir, was das ist: ein Kreis.«

»Ja, auch«, sagte Paul, »als Bild ist es ein Kreis, aber als Buchstabe ist es ein O.«

Zippel lachte. »Du bist manchmal ganz schön verdreht. Also gut. Haus und Kreis. A und O. Was noch? Kann ich jetzt alles?«

»Schön wär's«, sagte Paul, »es gibt ganz viele Buchstaben. 26.«

»26? Das ist ja mehr als hundert! Ehrlich wahr. Und die sehen alle anders aus? Das kann doch keiner lernen.«

»Doch, das kannst du. Schau: Das hier ist ein E.«

»Oh«, sagte Zippel, »so wie Elefant?« Er war ganz aufgeregt: »Genau! Genau! Schreib mal Elefant.«

Paul schrieb ELEFANT.

»Hm«, sagte Zippel und klang enttäuscht. »Ist das alles?«

»Ja, warum?«

»Da fehlt doch der Rüssel, ich seh gar keinen Rüssel.«

»Ich hab den Elefanten ja auch nicht gemalt, sondern geschrieben«, sagte Paul.

»Und geschriebene Elefanten sind ganz ohne Rüssel? Und ohne Stoßzähne und große Ohren?«

Paul schaute auf das Wort. »Weißt du, der echte Elefant ist da gar nicht. Da stehen nur die Buchstaben.«

»Und wo ist der echte?«

»Im Zoo.«

»Au, dann schreib mal Zoo.«

Paul schrieb ZOO.

»Schon fertig?«, fragte Zippel. Als Paul nickte, schaute Zippel das Wort von allen Seiten an. Dann hob er das Blatt hoch, auf das Paul geschrieben hatte, und sagte: »Ich seh keinen Elefanten.«

»Natürlich nicht. Ich hab ja auch ZOO geschrieben.«

»Aber du hast doch gesagt, der Elefant ist im Zoo.«

»Na, der echte Elefant ist im echten Zoo. Das hier sind nur die Wörter.«

Zippel streichelte das Wort ELEFANT: »Sei nicht traurig, unechter Elefant, wenn du groß bist, kriegst du auch einen Rüssel.« Dann sagte er zu Paul: »Du, das waren doch schon sehr, sehr viele Buchstaben. Und auch riesig große, also elefantengroße. Ich finde, das reicht für heute.«

»Find ich auch.«

»Aber woher weißt du das nur alles?«, fragte Zippel.

»Das hat uns unser Lehrer beigebracht.«

»Ach so, dein Papa.«

»Nein. Mein Papa ist auch Lehrer, aber an einer ganz anderen Schule.«

»Was? Gibt es etwa zwei Schulen?«

»Oh, es gibt ganz viele.«

»Aha, also 26.«

»Warum 26?«

»Weil es auch ganz viele Buchstaben gibt. 26. Hast du selbst gesagt.«

»Es gibt noch viel mehr Schulen. Mein Papa ist Lehrer für Erwachsene. In einer Firma. Er bringt da Leuten was am Computer bei.«

»Versteh ich alles nicht. Aber wenn dein Papa Lehrer ist, warum war er denn dann heute Morgen hier zu Hause?«

»War er doch gar nicht«, sagte Paul. »Der geht morgens immer ganz früh los und kommt erst abends wieder.«

»Also heute ist er zwar vor dir losgegangen, aber als deine Mama und du weg wart, ist er ganz leise wiedergekommen.«

»Was?«, rief Paul und fragte dann flüsternd: »Wo ist er denn? Hat er uns etwa gehört?«

»Nein, keine Sorge«, sagte Zippel. »Kurz bevor du aus der Schule kamst, ist er wieder gegangen. Aber er saß den ganzen Vormittag in eurem großen Zimmer rum. Er hat leise mit sich selbst geredet und in so einen silbernen Kasten gestarrt. Da wa-

ren viele Bilder drin und er hat ganz irre schnell auf schwarzen Tasten rumgehämmert.«

»Ah, der Computer«, sagte Paul.

»Ganz genau, oberschlau«, sagte Zippel und klang dabei, als wüsste er längst, was ein Computer ist. »Dann hat er plötzlich erschrocken auf das Ding mit den zwei Stäbchen geschaut, ist aufgesprungen und wieder gegangen.«

»Welches Ding mit zwei Stäbchen?«, fragte Paul.

»Na, die Stäbchen, die sich langsam im Kreis drehen, und es tickert und tackert die ganze Zeit, sogar in der Nacht«, erklärte Zippel.

Paul lachte. »Ah, die Küchenuhr!«

»Ganz genau, oberschlau«, sagte Zippel wieder. »Aber weißt du, dein Papa war so komisch. So, als würde er das alles heimlich machen. Als er ging, hat er die Wohnungstür ganz leise auf- und zugemacht. Na ja, und danach bin ich spielen gegangen in dem Schrank mit den wabbelweichen Sachen und dann warst du plötzlich da.«

Paul hörte Zippel zu und überlegte. Dann sagte er: »Und dich hat Papa nicht gesehen?«

»Latürnich nicht«, sagte Zippel. »Erstens ist er ein Awachsana und die sind eh blind. Und zweitens hab ich mich gut versteckt. Schau, so.«

Zippel schwebte zur Zimmerdecke hoch. Anfangs sah Paul ihn aufsteigen, aber als Zippel ganz oben unter der weißen Decke schwebte, konnte ihn Paul kaum noch von der Wandfarbe unterscheiden.

»Ich bin direkt über ihm geschwebt«, sagte Zippel da oben irgendwo. »Ich hab sogar ein paar kleine Krümel von der Tapete abgekratzt und auf ihn geworfen. Aus Rache für den Schlüssel im Schloss. Aber er hat nichts gemerkt. Gar nichts.«

»Hm«, sagte Paul, ohne richtig zuzuhören. Was war nur los mit seinem Papa? Paul hatte sich schon am Tag davor über ihn gewundert, er war so zerstreut gewesen und so … so … Als ob er gar nicht wirklich da wäre, weil er die ganze Zeit an was ganz anderes dachte. Und jetzt saß er heimlich zu Hause rum?

»He«, rief Zippel, »hörst du mich gar nicht?« Er schwebte jetzt wieder direkt vor Pauls Gesicht.

»Äh … was?«, fragte Paul.

»Ich hab gefragt, ob ich morgen mitkommen darf in deine Schule.«

»Lieber nicht«, sagte Paul, der nicht wollte, dass Zippel sah, wie ihn Tim und Tom ärgern. »Erst … erst musst du alle Buchstaben kennen«, sagte er. »Sonst verstehst du ja gar nicht, was wir da machen.«

»Ich kann doch schon so viele«, sagte Zippel und fing an zu singen:

A. O. E. Elefant trinkt Tee.
E. A. O. Elefant im Zoo.
O. E. A. Jetzt ist alles klar.

»Vielleicht mal wann anders«, sagte Paul.

»Wannandas, wannandas, pupsen die Pandas«, sagte Zippel. Er klang ziemlich beleidigt.

Kapitel 4

In dieser Nacht schlief Zippel dann also in Pauls blauem Sockenschlafsack. Oder sagen wir: Er versuchte es. Paul hatte die Socke in sein Regal gelegt, gut versteckt hinter den Büchern, und gesagt: »So, das ist jetzt dein Bett.«

Zippel sah recht unglücklich aus. »Ein Schlossgespenst schläft eigentlich immer in seinem Schloss«, sagte er.

Paul nickte. »Ja, ich weiß. Aber erstens steckt Papa dann wieder seinen Schlüssel rein und zweitens müssen wir eh einen anderen Ort für dich finden, wegen Herrn Ritsche.«

»Ritsche, Rutsche, Ratsche, ich sitze in der Patsche«, seufzte Zippel. »Na gut, dann schlaf ich hier. Aber das ist viel zu weich. Ich brauch ein hartes Bett. Können wir da nicht irgendwas gemütlich Hartes reintun? So mit kuscheligen Ecken und Kanten?«

Paul sah sich in seinem Zimmer um. Er holte eine Handvoll Murmeln, zwei Holzklötze und ein paar Legosteine und stopfte alles in die Socke. »Besser so?«

Zippel verschwand in der Socke und kruschtelte summend

darin herum. Die Socke beulte sich immer wieder in andere Richtungen aus. Am Ende kam Zippel wieder zum Vorschein und sagte: »Kein Öl und kein Rost und kein Staub, aber immerhin ist es jetzt schön hart und eng.«

In dem Moment waren draußen im Flur Schritte zu hören.

»So«, sagte Mama, während sie ins Zimmer kam, »jetzt musst du echt ins Bett. Oh, suchst du gerade ein Buch raus zum Vorlesen?« Sie trat zu Paul ans Bücherregal.

»Äh, ja«, sagte Paul, »genau, nämlich das hier.« Er zog schnell irgendein Buch raus, drückte es Mama in die Hand und zog sie Richtung Bett. »Ich bin wirklich müde.«

Mama setzte sich an den Bettrand und sagte: »Bist du sicher?«

»Wieso«, fragte Paul. »Was meinst du?«

»Dass ich dir das hier vorlesen soll? *Lexikon der Kinderkrankheiten?* Das hab ich wahrscheinlich mal aus Versehen in deinem Regal stehen lassen, als du krank warst. Komm, ich hol lieber eine schöne Vorlesegeschichte.«

Sie wollte schon aufstehen und zum Regal zurückgehen, als Paul ihre Hand ganz festhielt: »Neinneinnein, bleib hier, lies mir doch was über Krankheiten vor, das find ich echt spannend.«

Mama runzelte die Stirn.

»Bitte«, sagte Paul, »es gibt doch so tolle Krankheiten.«

Mama zuckte die Schultern und sagte: »Na gut.« Sie blätterte ein bisschen im Buch herum und sagte dann: »Hier, das ist interessant: Masern.«

»Oh ja, Masern, sehr interessant«, sagte Paul.

Mama las also was über Masern vor, wie sie aussehen und wie

man sie unterscheidet von Windpocken und Röteln und wie lang das dann juckt, und nach drei Minuten gähnte Paul das erste Mal und nach fünf Minuten gähnte er ein bisschen auffälliger und Mama sagte: »Na, dann schlaf mal lieber«, streichelte ihm über den Kopf und machte das Licht aus.

Sie war kaum draußen, da hörte Paul ein leises Lachen aus dem Bücherregal.

»Ihr Menschen habt ja wunderschöne Einschlafgeschichten«, gluckste Zippel.

»Pst«, sagte Paul durchs Dunkel.

Aber Zippel redete weiter und klang jetzt genauso wie Mama, wenn sie ihm ein Märchen vorlas: »Es war einmal vor laaanger, langer Zeit, da lebte eine klitzekleine rote Pustel und die hieß Maser. Und die lief so über die Haut und traf eine andere Pustel. ›Ei, schönes Pustelchen, wie heißt du denn?‹ ›Ich bin die kleine Rötel‹, sagte die andere …«

»Mensch, sei leise«, zischte Paul, »Mama kann uns hören.«

»Entschludigung«, sagte Zippel, gluckste noch ein bisschen und war dann tatsächlich still.

Paul fragte: »Wie machst du das?«

»Was meinst du?«, fragte Zippel.

»Na, dass du haargenau so klingst wie Mama.«

»Dass du haargenau so klingst wie Mama«, sagte Zippel. Aber diesmal klang es, als käme Pauls eigenes Echo aus dem Bücherregal.

»Ist jetzt endlich Ruhe hier?«

Paul erschrak. Das war Papas Stimme. Aber die Tür war zu.

»Warst das auch du?«, fragte Paul.

»War ich das?«, echote es in Pauls Stimme hinter den Büchern hervor.

»Das ist ja der Wahnsinn«, rief Paul. »Kannst du jede Stimme nachmachen?«

»Weiß nicht, ob jede«, sagte Zippel in seiner eigenen Stimme, »ich kenn ja bisher nur euch drei, aber die krieg ich gut hin.« Er lachte leise und sagte dann in Papas tiefer Stimme: »Aber jetzt müssen wir wirklich schlafen. Zippelzefix noch mal.«

Kapitel 5

Am nächsten Morgen sprang Paul sofort zum Regal, guckte hinter die Bücher – und erschrak: Die Socke lag noch da, aber Zippel war weg. Paul steckte den Kopf tiefer ins Regal, schaute links, schaute rechts, aber da war kein Zippel. Paul guckte auf den anderen Regalbrettern hinter die Bücher. Nichts. Überall lag viel Staub rum. Und hinter einem Buch lag eine rote Murmel. Zippel aber war nirgends zu sehen.

Paul schaute sich in seinem Zimmer um. Da war sein ungemachtes Bett. Die Eisenbahn. Kein Zippel. Sein Kleiderhaufen auf dem Stuhl. Sein Schreibtisch. Sein Schulranzen. Kein Zippel. Die Fensterbank. Die Vorhänge. Die Heizung. Kein Zippel. Der Kaufmannsladen. Die Kasse. Huch. Die Kasse vom Kaufmannsladen. Sie stand offen.

Paul lief zum Laden und sah sofort: Die Münzen waren weg. Alle. Nanu? Paul guckte weiter in seinem Zimmer herum, aber er sah nichts Auffälliges. Dafür hörte er jetzt ein leises Geräusch. Es klang wie eine schnurrende Katze. Aber auch wie ein Kochtopf, wenn der Dampf rauszischt: *Rrrrruttelditschüüü*. Das Geräusch kam von seinem Schreibtisch. Da stand sein Sparschwein. Grunzte es? *Rrrrrruttelditschüüü.* Das Sparschwein sah ihn an wie immer, große Augen, offener Mund, und aus dem Mund kam dieses Geräusch: *Rrrrrrutelditschüüü.*

Paul klopfte vorsichtig mit dem Fingernagel ans Porzellan und im selben Moment schoss Zippel aus dem Schlitz am Rücken des Schweins und rief: »Alarm, ein Angriff!«

Paul erschrak, Zippel wohl auch. Er blieb mitten in der Luft stehen und schlug jetzt erst die Augen auf. »Oh, äh, wo bin ich?«

»Über meinem Sparschwein«, sagte Paul. Er sah, dass Zippel viel grauer war als am Abend zuvor. »Hast du dir da drin ein Lager gebaut mit den ganzen Münzen aus dem Laden?«, fragte Paul.

Zippel musste lange gähnen, aber schon im Gähnen fing er an zu schimpfen. »Es ist alles ganz fürchterbar«, rief er, »die Socke von deinem Papa war vieeeel zu weich.«

»Und das Sparschwein?«, fragte Paul. »War das auch nicht gut?«

»Das ist nicht verrostet«, sagte Zippel. »Und bitte schön, ich bin kein Schweinsgespenst, sondern ein Schlossgespenst. Ich brauch ein Schloss mit Metall und Öl und Staub und eng und dunkel und alt. So muss das sein. Und ich kann nicht schlafen und morgen wird das Schloss ausgewechselt und dann hab ich gar kein Zuhause mehr.«

»Hmm«, sagte Paul, während er fieberhaft überlegte. »Vielleicht … vielleicht hab ich eine Idee.«

»Du immer mit deinen Ideen«, sagte Zippel, der wirklich ziemlich grau aussah. »Was ist es denn diesmal?«

»Wir können im ganzen Haus gucken, ob andere Nachbarn ein altes Schloss haben, in dem du wohnen kannst.«

»Oh, wohnt hier noch wer?«

»Natürlich«, sagte Paul. »Hier gibt es viele Wohnungen.«

»Aber dann wohn ich ja nicht mehr bei dir«, sagte Zippel.

Paul versuchte, seine eigene Ratlosigkeit zu überspielen, indem er sagte: »Na, du müsstest dann halt zum Schlafen in das andere Schloss und ansonsten wohnst du hier.«

»Buhuhuuu«, weinte Zippel und die Spinnweben flogen nur so um ihn herum. »Du maaaagst mich nicht mehr.«

»Doch, natürlich, ich mag dich sogar sehr«, flüsterte Paul und hob dabei die Hände, um Zippel zu beruhigen. »Ich glaub, du bist mein bester Freund.«

»Buhuuuuhu«, weinte Zippel noch ein bisschen weiter:

**Keiner maaag mich, niiiiemand, keine.
Ich bin einsam, so alleiiiine,
dass ich fürchterbarlich weiiiine.
Und sooooogar im Weiiiinen reiiiime.**

»Paul?« Mama rief von der Küche aus, wo sie gerade Frühstück machte. »Alles gut?«

»Ja, ja, sehr«, rief Paul.

»Hast du dir wehgetan?«

»Nein, ich hör nur eine CD. Eine Gespenster-CD. Sogar mit Reimen!«

»Oh, schön«, rief Mama. »Klingt richtig echt. Beeil dich, in zwei Minuten gibt's Frühstück.«

»Ja, ich komm gleich.« Dann sagte er leise, während er die Staubspinnweben rund um Zippel vorsichtig auflas: »Also hör zu, Zippel, heute Nachmittag schauen wir, ob es ein anderes Schloss für dich gibt, und wenn dir das gefällt, kannst du ja mal darin schlafen, nur zum Ausprobieren, und wenn nicht, dann nicht.«

»Na gut«, sagte Zippel. »Aber beeil dich mit der Schule, hier isses grauslig langweilig ohne dich.«

»Mach ich.« Dann ging er frühstücken.

Kapitel 6

Als Paul nachmittags nach Hause kam, lauschte er im Flur. Es war ganz still. Na, fast ganz still. Aus der Küche kam ein kaum hörbares Geräusch, das er schon kannte. Paul schlich durch den Flur, dem leisen »*Rrrrrrutteldritschüüü*« entgegen.

Zippel lag mitten auf dem Küchenboden. In einem riesigen Haufen Mehl. Er hatte das Mehl in der Mitte des Fußbodens zu einem Berg aufgeschüttet. Oben hatte er eine kleine Kuhle reingemacht, und in der hatte er sich zusammengerollt wie eine Katze, wenn sie schläft. »*Rrrrrrutteldritschüüü*«, machte er ganz leise, »*rrrrrrutteldritschüü*«, und bei jedem Ausatmer blies er eine winzige Mehlwolke vom Gipfel seines kleinen Berges. Es sah ein bisschen aus wie dieser Vulkan, den Paul letztes Jahr mit Mama und Papa in Italien gesehen hatte, von dessen Gipfel den ganzen Tag über kleine Dampfwölkchen wegwehten.

Paul ging leise zur Spüle, um sich ein Glas Wasser zu holen. Er schlich wirklich vorsichtig um den Mehlberg herum, aber Zippel hatte ihn anscheinend gehört. Er schlug die Augen auf. Dann streckte er sich, ganz ähnlich wie wir Menschen das machen, wenn wir aufwachen. Aber wie das aussah bei ihm! Erst streckte er den rechten Arm nach rechts, der wurde länger und länger und länger, fast wie ein Gummiband. Dann streckte er den linken Arm nach links, der rechte Arm wurde wieder klein, der linke wuchs weit über den Mehlberg hinaus. Er gähnte, der Kopf zog sich dabei in die Höhe und wurde ganz lang und dünn. Zuletzt schüttelte er sich am ganzen Körper wie ein Hund oder eine Katze, die ihr nasses Fell einmal von oben bis unten durchschüttelt. Jetzt sah er wieder aus wie immer, nur dass er eben ganz stolz auf dem Gipfel seines kleinen Mehlbergs saß.

»Sieh doch nur! Wunderschöner Staub! Der schönste, den ich je gesehen habe.«

»Das ist doch kein Staub«, sagte Paul.

»Das ist sehr wohl Staub. Schlafstaub ist das. Staub, in dem ich endlich mal wunderbar schlafen kann.«

Paul schüttelte den Kopf. »Das ist Mehl. Damit kann man backen.«

»Backen?« Zippel blies seine Backen auf.

»Kuchen«, sagte Paul. »Kuchen backen. Oder Brot. Was zum Essen. Und deshalb muss ich es auch wegmachen vom Boden. Wenn Mama einen Haufen Mehl auf dem Boden sieht, schimpft sie.«

Paul wollte unter der Spüle gerade die kleine Kehrschaufel holen, als Zippel fragte: »Was ist Essen?«

Paul blieb stehen und sah ihn verwundert an: »Du weißt echt nicht, was Essen ist?«

»Glaub nicht«, sagte Zippel.

»Oha«, sagte Paul und überlegte kurz. Dann sagte er: »Essen geht so«, und nahm eine Mandarine vom Obstteller.

»Was ist das?«, fragte Zippel.

»Eine Mandarine«, sagte Paul, während er sie schälte. Er nahm ein Stück, hielt es zwischen zwei Fingern, machte den Mund auf, steckte das Stück Mandarine rein, kaute ein paarmal und schluckte es runter.

Zippel sah ihn entgeistert an. »Wo ... wo ist das hin?«, fragte er.

»Na, in meinen Bauch.«

»Mach den Mund auf«, sagte Zippel ganz aufgeregt, »mach sofort deinen Mund auf.«

Paul öffnete seinen Mund, Zippel flog ganz nah an den offenen Mund und guckte neugierig rein.

»Zunge hoch!«

Paul rollte die Zunge hoch.

Zippel guckte in alle Ecken von Pauls Mund.

»Wo ist die Wanderine hin?«

»Na, runtergeschluckt«, sagte Paul.

»Steh mal auf«, sagte Zippel ganz aufgeregt. »Los, los, los, steh schon auf.«

Paul stand auf. Zippel guckte erst auf den Stuhl, dann auf Paul: »Das gibt's doch nicht. Wie machst du das? Zieh mal deinen Pulli hoch.«

Paul schob seinen Pulli und das T-Shirt hoch. Zippel kam ganz nah an seinen Bauch geflogen. Er legte sein Ohr an den Bauch und sagte leise: »Hallo? Wanderine? Hallo? Bist du da drin?«

Dann schwebte er um Paul herum, einmal, zweimal. »Gib's

zu«, sagte er. »Du hast das irgendwo versteckt. Du hast das gar nicht wirklich in dich reingeworfen.«

»Doch«, sagte Paul.

»Zippelzefix!«, rief Zippel ganz verzückt und klatschte in die Hände. »Du kannst zaubern.«

»Aber nein, ich ess einfach.«

»Ja, aber wo ist das denn dann?«

»In meinem Bauch.«

Zippel guckte begeistert auf Pauls Bauch und sagte: »Kann ich auch mal was essen? Ein Stück Wanderine?«

»Ich glaub, das ist zu groß für dich«, sagte Paul. »Warte mal.«

Er holte eine Schale mit Rosinen aus dem Schrank und hielt sie Zippel hin.

Zippel guckte ganz enttäuscht auf die Rosinen. »Was ist denn das für ein braunes Schrumpelzeug?«

»Das sind Rosinen. Die sind lecker.« Paul steckte sich drei Rosinen in den Mund, kaute kurz und schluckte sie runter.

Zippel nahm eine Rosine, riss den Mund ganz weit auf, steckte sie vorsichtig rein und machte den Mund schnell wieder zu.

Ein leises Plopp. Die Rosine lag auf dem Küchenboden, direkt unter Zippel.

»Oh«, sagte Zippel.

»Oh«, sagte Paul.

Beide guckten auf die Rosine, die neben dem Mehlhaufen lag.

»Vielleicht muss ich es länger im Mund behalten«, sagte Zippel.

Er nahm noch eine, steckte sie in den Mund – plopp. Die andere Rosine lag neben der ersten.

»Hmm«, sagte Paul, »das fällt ja direkt durch dich durch.«

»Schade«, sagte Zippel.

»Ach, dann kannst du immerhin nie Bauchweh kriegen. Aber ich muss jetzt mal das Mehl wegwischen«, sagte Paul.

»Kann man das Mehl auch essen?«, fragte Zippel.

»Na ja, das ist zu trocken. Aber hier, guck«, Paul machte den Kühlschrank auf. »Die Sachen da drin kann man eigentlich alle essen.«

Zippel schwebte in den Kühlschrank.

»Oh, das ist ja eiskalt hier drin. Was ist der harte Klotz hier?«

»Butter«, sagte Paul.

»Butter ist auch Futter«, dichtete Zippel, während er weiterschwebte.

»Und das rote Glas?«

»Marmelade«, sagte Paul.

»Marmelade, schade, schade. Oh, und das hier, diese gelben Fäden?«

»Das ist ein Topf Spaghetti. Die sind Mama gestern Abend angebrannt.«

»Die sind ja wunderschön«, rief Zippel. »Wie so ganz lange Haare. So golden und braun und unten schwarz.«

Paul nahm den kleinen Topf mit den Spaghetti raus.

Zippel schnappte sich zwei Spaghetti und wickelte sie sich mehrmals um den Hals. Dann schwebte er damit durch die Küche, hielt die Spaghettikette wie eine feine Dame mit gespreiztem kleinen Finger und sang:

**Spaghettiketti, weich und schwer,
Spaghettiketti, steht mir sehr.**

Dann hielt er in der Luft an, schaute auf die Spaghetti im Topf und sagte: »Aber so was Großes, Langes kannst du nicht essen, oder?«

»Natürlich«, sagte Paul, nahm eine Gabel, wickelte ein paar Spaghetti aus dem Topf auf, steckte sie in den Mund und schluckte.

»Aber«, sagte Zippel. »Aber, aber, aber … In deinem Bauch ist doch gar kein Platz mehr, da ist doch schon die Wanderine drin?«

»Da passt viel rein«, sagte Paul.

»Und das bleibt dann für immer drin?«

»Nein, das ist erst in meinem Magen und wird da verdaut und irgendwann geh ich aufs Klo und mach Kacka.«

»Kacka?«, fragte Zippel begeistert.

»Ja. Und Pipi.«

»Pipi?!«, fragte Zippel und klang noch begeisterter.

»Kacka und Pipi? Das sind ja zwei tolle Wörter. Kacka und Pipi! Klingt wie zwei gute Freunde.«

Er sang:

**Kacka und Pipi, die gingen in die Welt.
Kacka war der Braune und Pipi war ganz gelb.
Das Pipi war sehr flüssig, das Kacka eher fest,
beide aber waren vom Essen nur der Rest.**

Dann sagte er: »Aber jetzt versteh ich das. Das orange Ding heißt Wanderine, weil es durch dich durchwandert. Und die Nudel, die nudelnudelnudelt auch so durch deinen Bauch, bis sie wieder rauskommt.«

»Kann gut sein«, sagte Paul. »Aber ich mach jetzt trotzdem mal das Mehl weg.«

»Ist gut, ich helf dir.« Zippel packte mit beiden Ärmchen das Glas Wasser, das neben der Spüle stand, und schüttete es auf den Boden.

»Hey, was machst du denn da?«

»Mit dem Wasser kann man das doch toll wegputzen«, sagte Zippel.

Paul nahm schnell ein paar Taschentücher und warf sie in die riesige Pfütze. Die Taschentücher saugten das Wasser auf. »Mann, Zippel, du kannst doch nicht mitten in der Wohnung Wasser ausschütten. Das Mehl muss man mit dem Besen wegmachen.«

»Entschludigung«, sagte Zippel, »das wusste ich nicht.«

Paul warf die klitschnassen Taschentücher weg und fegte das Mehl zusammen. Dann sagte er: »So. Ich geh jetzt aufs Klo. Und dann müssen wir endlich mal im Treppenhaus nach einem Schloss für dich suchen.«

»Oh«, sagte Zippel, »darf ich mitkommen aufs Klo? Das will ich sehen.«

Paul zuckte mit den Achseln. »Wenn du unbedingt willst.«

Kapitel 7

Paul ging ins Bad, Zippel schwebte hinterher.

»Na so was«, sagte er, als er die Kloschüssel sah, »ein weißer Stuhl.«

»Das ist das Klo«, sagte Paul. Er zog die Hose runter und klappte den Deckel hoch.

»Oh«, rief Zippel ganz aufgeregt, »weg da, weg da, weg da«, riss die dicke Klopapierrolle aus der Halterung und warf sie ins Klo. Es platschte, dann saugte sich die ganze Rolle mit Wasser voll.

»He! Was machst du denn da?«, rief Paul.

»Sauber«, rief Zippel. »Da war Wasser. Mitten in der Wohnung. Das geht nicht! Das darf man nicht! Hast du selbst gesagt, Wasser muss sofort weg. Ehrlich wahr.«

»Aber Zippel, im Klo ist das immer so«, sagte Paul, holte die triefnasse Klopapierrolle aus der Schüssel und warf sie in den Papierkorb.

»Ach so«, seufzte Zippel. »Entschludigung. Das wusst ich auch schon wieder nicht.«

»Entschuldigung«, sagte Paul, während er sich zum Pinkeln hinsetzte.

»Macht doch nichts«, sagte Zippel und klang dabei sehr großzügig.

»Nein, ich meine, du sagst immer Entschludigung. Das heißt aber Entschuldigung.«

»Bei mir heißt das Entschludigung. Das klingt nämlich viel besser. Man schludert so rum und dann muss man sich entschludigen.«

»Wie du willst«, sagte Paul, während er anfing zu pinkeln.

»Oh, das ist aber ein schönes Geräusch«, rief Zippel. »Wie das gluckert. Wunderschön.«

Paul stand auf, zog seine Hose hoch und drückte die Spülung.

»Hilfe!«, brüllte Zippel. »Achtung! Halt!« Er starrte auf das rauschende Wasser. Dann schaute er auf den Fußboden. Dann wieder auf das Wasser, das durch die Kloschüssel rauschte. Und wieder auf den Boden davor. »Nanu«, sagte er. »Der Boden wird ja gar nicht nass.«

»Nein, das verschwindet alles in dem Abflussrohr hier«, sagte Paul.

Zippel schaute fasziniert dem rauschenden Wasser zu.

»Ihr habt einen Wasserfall mitten in der Wohnung? Das ist ja ... Also ... Darf ich auch mal Wasser fällen?«

»Du meinst spülen?«

»Ja. Bittebittebitte. Ich will spielen.«

»Spülen«, verbesserte ihn Paul. »Klar. Du musst nur kurz warten, bis der Spülkasten wieder vollgelaufen ist. Und dann drückst du die schwarze Spültaste hier runter.«

Zippel schwebte ganz zappelig vor dem Kasten auf und ab und wartete, bis das Wasser nachgelaufen war. Er tätschelte den Spülkasten ein bisschen und sagte: »Braver Spielkasten, feiner Spielkasten, mach schön viel Wasser in dich rein, hörst du?« Dann drückte er die Spülung und rief: »Wasserfall! Wasserfaaall! Achtung, Achtung! Tausendhundert Liter schwappdiwapp!«

Er schwebte aufgeregt über der Schüssel und wirbelte mit den Ärmchen herum, als würde er das Wasser dirigieren. Als alles gurgelnd abgelaufen war, schaute er Paul begeistert an und sagte: »Noch mal.«

»Von mir aus«, sagte Paul. »Aber wir müssen langsam mal los, irgendwann kommen Mama und Papa.«

»Gleichgleichgleich«, sagte Zippel und schon rauschte die Spülung wieder. »Wasserfall! Wasserfaaall!« Zippel schwebte so schnell auf und ab wie nie zuvor, lachte und klatschte und sang dazu ein kleines Spül- und Rauschlied, von dem aber vor lauter Spülen und Rauschen nichts zu hören war.

Paul ging schon mal in den Flur und holte seinen Wohnungsschlüssel. Er wartete kurz, und nachdem Zippel noch fünfmal gespült hatte, sagte er: »Komm, jetzt reicht's.«

»Okay«, sagte Zippel, »na gut, aber nachher mach ich weiter. Das ist soo toll, du. Ein Wasserfall! Mitten in der Wohnung. Wirklich wahr.«

»Jaja«, sagte Paul, »aber jetzt sei mal leise und komm endlich.«

Kapitel 8

Paul nahm seinen Schlüssel, machte die Wohnungstür einen Spalt auf und lauschte, ob jemand kam. Es war nichts zu hören.

»Also los«, flüsterte er. Er guckte kurz übers Treppengeländer, ob jemand zu sehen war. Nichts.

Zippel, der neben ihm schwebte, schaute ebenfalls die drei Stockwerke runter. »Huhuhuuu!«, rief er aufgeregt, »da geht's ja herrlich weit runter. Und was ist das für ein Rohr?«

»Meinst du das Treppengeländer?«, fragte Paul.

»Weiß ich nicht, ob ich das Leppengetränder mein. Ich mein diese Holzrutsche, die da so huihuihui bis nach ganz unten geht.«

»Ja, das ist das Treppengeländer.«

Zippel schwebte aufs Treppengeländer und rauschte Stockwerk für Stockwerk in die Tiefe.

Er sang:

**Ja, das Trep-pep-pengeländer
führt durch viele, viele Länder:
Ge-Länder, Hol-Länder, Ka-Lender, Aus-Länder.**

Er wurde immer leiser und immer kleiner. Als er ganz unten war, rief er hoch: »Na los, komm auch!«

Paul schüttelte den Kopf: »Trau mich nicht.«

Zippel kam, wusch, direkt durch die Mitte hochgeschwebt. »Warum nicht?«

»Wenn ich da runterfalle, bin ich tot.«

»Oh. Tot? Was ist tot?«, fragte Zippel

»Na, tot ist, wenn man nicht mehr da ist«, sagte Paul.

»Wie? Nicht mehr da? Versteckst du dich dann da unten?«, fragte Zippel. »Au ja, mach mal! Spring mal runter!«

»Nein, tot ist, wenn man aufhört zu leben«, sagte Paul.

»Wie soll man denn damit aufhören? Leben tut man doch die ganze Zeit.«

Paul sah Zippel verblüfft an: »Können Gespenster denn gar nicht sterben?«

Zippel überlegte kurz: »Glaub nicht. Also ich bin noch nie gestorben. Du?«

»Nein, ich doch nicht. Sonst wär ich ja gar nicht mehr da. Aber meine Oma ist gestorben vor zwei Jahren. Und vor Kurzem ist hier im Haus Herr Wilhelm gestorben. Der Mann von der alten Frau Wilhelm.«

»Und wo sind deine Oma und der Herr Wilhelm jetzt?«

»Vielleicht im Himmel«, sagte Paul.

»Das ist aber sehr weit oben«, sagte Zippel. »Wie sind die denn da hochgekommen? Könnt ihr Menschen etwa doch fliegen?«

»Ihr Körper ist nicht da oben«, sagte Paul, »der ist auf dem Friedhof. Aber ihre Seele.«

»Was ist denn das schon wieder?«, fragte Zippel.

»Die Seele? Weiß ich auch nicht so genau«, sagte Paul. »Ehrlich gesagt hab ich mir die Seele immer ein bisschen so vorgestellt wie dich, so was Kleines, Leuchtendes, ganz leicht und weiß, das fliegen kann.«

»Oh, wie schön! Haben alle Menschen heimlich ein Schlossgespenst in sich drin?« Zippel flog ganz dicht vor Pauls Augen, schaute ihm tief in die Pupillen und sagte: »Kleines Paulgespenst, komm mal raus aus dem Paul.«

»Meine Seele kann nicht rauskommen«, sagte Paul, »die bleibt immer in mir drin.«

»Grad hast du doch gesagt, die kann fliegen«, sagte Zippel. »Ihr Menschen seid vielleicht komisch. Habt lauter Essen in euch drin. Und jetzt auch noch eine Seele. Das muss ja ganz schön voll sein in dir. Wanderine. Flugseele. Nudel. Aber du, wo sind denn hier jetzt Schlösser, in denen ich wohnen kann?«

»Genau«, sagte Paul. »Wir müssen endlich alle Türen im Haus abklappern.«

Also gingen sie runter ins Erdgeschoss, das heißt, Paul lief runter, während Zippel in derselben Zeit sechsmal das ganze Trep-pep-pengeländer runterrutschte. Dann liefen sie ein Stockwerk nach dem anderen ab, aber alle anderen Wohnungen im Haus hatten sehr moderne Schlösser, so ganz enge mit einem winzigen Schlitz statt einem richtigen Schlüsselloch zum Durchschauen.

»Ich bin doch kein Schlitzgespenst«, schimpfte Zippel, »sondern ein Schlossgespenst. Was denken die sich denn alle?«

»Ja, doof«, sagte Paul, als sie oben im sechsten Stock ankamen.

Er guckte hier noch kurz die letzten Wohnungstüren an und dachte schon, so, das war's, aber dann sah er, ganz am Ende des dunklen Gangs, die Tür von Frau Wilhelm.

Ihre Tür war ganz anders. Viel älter. Und das Schlüsselloch war wirklich groß, größer noch als bei Paul zu Hause.

»Huuu«, sagte Zippel und klang ganz verzückt, »das ist ja vielleicht mal ein schönes Schloss.« Schon während er das sagte, schrumpfte er und, wusch, war er verschwunden.

»Huhuuhuu«, hörte ihn Paul von draußen. »Huhuuu.« Dann hörte er ihn nur noch leise in der Tür kruschteln und rascheln.

»Zippel?«, fragte Paul.

Kurz blieb es still, dann kam Zippel wieder raus und wurde groß. Er leuchtete mehr als sonst und klang ganz aufgeregt. »Oh Paul, wenn du das sehen könntest!«

»Warum? Was ist denn?«

»Das ist ein Schloss. Also ... Genau so, wie ein Schloss sein muss. Mit ganz uralten Federn. Und es gibt viel Platz und es riecht gut. Und alles ist so schön verrostet und voller Öl. Oh, du, ich muss noch mal da rein. Das perfekte Schlossgespensterschloss.«

Paul konnte gar nichts sagen, so schnell war Zippel auch schon wieder weg. Diesmal blieb er länger verschwunden. Paul hörte draußen in der Dachrinne zwei gurrende Tauben. Aber im Schloss war es jetzt ganz leise.

»Zippel?«, flüsterte Paul nach einer Weile. »Was machst du?«

Keine Antwort. War er eingeschlafen da drin?

»He, Zippel, komm raus, ich will hier nicht allein rumstehen.«

Nichts zu hören. Paul wollte sich gerade auf den Treppenabsatz setzen, um zu warten, als die Tür von Frau Wilhelms Wohnung leise aufsprang.

Im Türspalt tauchte Zippel auf. »Komm mal rein«, flüsterte er ganz aufgeregt.

»Das geht nicht«, zischte Paul. »Wenn Frau Wilhelm uns sieht.«

»Die ist doch gar nicht da«, sagte Zippel.

»Trotzdem. Das ist Einbruch.«

Zippel zappelte. »Ach, Einbruch, Zweibruch, Beinbruch. Ich will dir nur was zeigen. Ganz kurz. Jetzt mach schon.«

»Das geht wirklich nicht«, sagte Paul und guckte schnell über das Geländer, ob jemand kam.

»Und wie das geht«, sagte Zippel. »Ich hab was gefunden, das musst du dir ansehen.« Er verschwand wieder in der Wohnung.

Paul war gar nicht wohl, als er die schwere alte Tür aufschob. Sie quietschte so laut, dass er sich noch mal erschrocken umdrehte, ob ihn jemand sah.

Ein langer, leerer Flur. An den Wänden alte Bilderrahmen. Paul ging vorsichtig über die Türschwelle.

»Hallo?«, fragte er vorsichtig. »Frau Wilhelm?«

Stille.

Er lief langsam den Flur entlang. Die Dielen knarzten unter seinen Füßen. Er wirbelte Staub auf, der im Nachmittagslicht der hereinfallenden Sonne herumtanzte.

»Zippel?«, fragte Paul leise. »Wo bist du?«

»Hier«, rief Zippel begeistert von ganz hinten. »Huhuuu! Im Wohnzimmer. Komm schnell. Das musst du dir ansehen.«

Paul lief weiter den Flur entlang, an den Bilderrahmen vorbei. Er wunderte sich: Die Rahmen waren alle leer. Da waren gar keine Bilder drin. »Seltsam«, sagte er, »hast du das gesehen, Zippel, die Rah…« Dann blieb er stehen. Mit offenem Mund. An der Tür, die ins Wohnzimmer führte.

Der Raum war ziemlich groß. In der Mitte des Zimmers standen zwei schöne alte Lesesessel. Dazwischen ein kleines Tischchen. Den Sesseln gegenüber ein breites Regal. Wirklich sehr breit. Und hoch bis an die Decke. Und in diesem Regal standen lauter Schlösser. Nichts sonst. Alte Türschlösser. Eines neben dem anderen. Große Schlösser aus Eisen. Kleinere, die vergoldet aussahen. Dicke Schlösser, dünne Schlösser. Aber alle mit großem Schlüsselloch. Neben manchen der Schlösser lag der dazugehörige Schlüssel.

Zippel schwebte vor dem Regal und juchzte leise. »Siehst du das?«, rief er, und es sah aus, als würde er glitzern vor Glück. »Siehst du das? Siiiehstudas?«

Paul nickte. »Ja«, sagte er leise, aber Zippel war schon in einem dicken runden Schloss verschwunden. »Huhuu, wie das duftet«, rief er von drinnen, »nach zweiundzwanzighundert Jahre altem Öl.«

Dann kam er wieder raus – und verschwand sofort im nächsten Schloss, einem quadratischen, an dem sogar noch die vergoldete Türklinke dran war. Paul setzte sich in einen der beiden Sessel, die so im Zimmer standen, dass sie genau auf das Regal mit den Schlössern blickten.

»Und hier drin, ganz viel Rost, herrlich«, schwärmte Zippel aus einem Schloss, das ganz verziert war. »Und Staub dazu, so muss das sein, haargenau so! Die Frau Wilhelm mag ich richtig gern.«

Aus dem Schloss kamen kleine Staub- und Rostwölkchen geflogen.

Warum sammelt jemand alte Schlösser, fragte sich Paul. Wo hatte Frau Wilhelm die nur alle her? Und warum stellte sie die auf wie wertvolle Gemälde und putzte sie wie kostbare Schätze?

»Na so was«, sagte plötzlich eine knarzende Stimme hinter Paul. Paul zuckte zusammen. Frau Wilhelm stand im halbdunklen Flur. Sie hatte ihr linkes Auge noch fester zusammengekniffen als sonst. »Was machst du hier?«

Paul sprang auf. »Oh, Entschuldigung«, sagte er. »Ich … Ähm …«

Frau Wilhelm hatte den Kopf schief gelegt. Auf ihrer Stirn war eine tiefe Falte zu sehen. Sie sah Paul mit ihrem großen rechten Auge an und wartete, dass er weitersprach.

»Ihre Tür«, sagte Paul. »Also ... Die war offen. Ich war auf dem Speicher und dann hab ich die offene Tür gesehen und hab nach Ihnen gerufen und dann bin ich aus Versehen rein und ...«

Frau Wilhelm hörte seinem Gestammel zu. Sie schien währenddessen richtig wütend zu werden: Die Falte auf ihrer Stirn wurde immer tiefer, bis sie ihn mit schneidend strenger Stimme unterbrach: »Man geht nicht in fremde Wohnungen. Auch nicht aus Versehen.«

»Ja genau, das find ich auch«, sagte Paul. »Das hab ich auch gesagt. Also zu mir.«

»Und dann bist du trotzdem reingegangen?«

Paul guckte zu Boden. »Tut mir leid, Frau Wilhelm«, sagte er leise.

»Das hätte ich nicht von dir gedacht, Paul«, sagte Frau Wilhelm, »du gehst jetzt bitte sofort nach Hause.«

»Ja«, sagte Paul und nickte, ohne aufzusehen, »wollte ich eh gerade.«

Er ging an Frau Wilhelm vorbei in den Flur, murmelte noch »Wiedersehen«, ohne sich umzudrehen, und stolperte zur Tür raus. Er lief die erste Treppe runter. Dann wartete er auf Zippel. Aber Zippel kam nicht.

»So ein Mist«, flüsterte Paul ins leere Treppenhaus. Was sollte er denn jetzt machen? Er konnte ja schlecht bei Frau Wilhelm klingeln und fragen, ob sein Gespenst noch da ist. Er wartete noch eine Minute, dann ging er runter in die Wohnung, in sein Zimmer.

Da saß Zippel schon auf dem Rand vom Kaufmannsladen.

»Da bist du ja«, sagten Paul und Zippel gleichzeitig.

»Ich hab auf dich gewartet«, sagte Paul.

»Ich auch«, sagte Zippel, »also nicht auf mich, sondern auf dich.«

Paul setzte sich auf sein Bett.

»Die ist rambazamba, die Frau Wilhelm«, schwärmte Zippel, »endlich mal so ein richtig guter Awachsana.«

»Mann«, sagte Paul. »Die ist wirklich sauer.«

»Ja, aber sie hat einen tollen Geschmack, das waren alles wunderschöne Schlösser.«

»Kann sein, ich hab trotzdem Angst, dass sie heute Abend bei uns klingelt und meinen Eltern erzählt, dass ich heimlich in ihrer Wohnung war. Und dann schimpft Papa wieder.«

»Glaub ich nicht«, sagte Zippel.

»Was glaubst du nicht?«

»Dass dein Papa schimpft.«

»Woher willst du das denn wissen?«, sagte Paul.

»Na ja«, sagte Zippel, »der ist doch selber jeden Tag heimlich in einer Wohnung.«

»Wie meinst du das?«

»Na, heute Vormittag. Als du und deine Mama weg wart. Da kam er wieder hier reingeschlichen.«

»Was?«, rief Paul. »Echt? Warum hast du mir das denn nicht früher erzählt?«

»War so viel los«, sagte Zippel. »Erst die Küche, dann der herrliche Wasserfall im Klo und dann Frau Wilhelm. Also diese Frau Wilhelm, die …«

»Und was hat Papa hier gemacht?«, unterbrach Paul sein Geschwärme.

»Nix. Er saß wieder stundenlang rum, hat viel in den Computer geguckt und auf den Tasten rumgehackt und ist irgendwann rausgerannt. Ich bin ja kein Mensch, also vielleicht täusch ich mich, aber wenn du mich fragst: Er sah nicht wirklich fröhlich aus.«

Paul war völlig verwirrt. Vor wem sollte sich sein Papa denn verstecken? Und warum war er so seltsam? Oder erfand Zippel das alles?

»Na ja«, meinte Zippel, »ich wollte eigentlich nur sagen: Dein Papa wird schlecht schimpfen können, wenn Frau Wilhelm kommt. Er sitzt ja auch heimlich in einer Wohnung rum.«

»Das ist doch was anderes«, sagte Paul. »Das hier ist ja seine Wohnung.«

Kapitel 9

Am nächsten Morgen fuhr Paul so wie jeden Tag mit dem Rad zur Schule. Er musste die Dreimühlenstraße runterfahren und dann am Bach entlang. Er guckte gerade in die Bäume, wo sich zwei Eichhörnchen jagten, als er eine leise Stimme singen hörte:

> Schule ist jetzt nicht mehr weit,
> heut wird Zippel sehr gescheit.
> Lern ich rechnen, schreiben, malen,
> kann ich alle hundert Zahlen.
> Zippel wird ein Schlaugespenst,
> wie du noch kein zweites kennst.

Paul bremste. Er stand mitten auf dem Radweg und drehte sich mit dem Kopf zum Schulranzen. »Oh Mann, Zippel.«

»Neinnein«, sagte Zippel, »ich bin gar nicht da. Das war nur so ein kleines, herumschwebendes Liedchen.«

»Natürlich bist du da«, stöhnte Paul. »Ich hab dir doch gesagt, dass ich dich nicht mitnehmen kann.«

»Du nimmst mich ja auch gar nicht mit«, sagte Zippel. »Ich

schwebe ganz allein in deinem Schulranzen rum, und dein Schulranzen wird in die Schule getragen, und dann bin ich zufällig auch in der Schule. Fahr ruhig weiter.«

Paul überlegte, ob er noch mal nach Hause fahren sollte, um Zippel zurückzubringen. Aber dann würde er zu spät kommen.

»Okay, ich nehm dich mit«, entschied er. »Aber in der Schule wimmelt es von Erwachsenen. Stell dir vor, wenn die dich sehen. Du musst wirklich leise sein. Versprochen?«

»Jajaja«, sagte Zippel, »das ist hiermit feierlich verbrochen.«

Paul fuhr weiter. Zippel war erst mal still. Dann sagte er: »Du, Paul.«

»Was ist denn?«, fragte Paul, ohne anzuhalten.

»Hier neben mir ist so ein Glas. Das wackelt die ganze Zeit hin und her. Ich hab Angst, dass das umfällt. Kannst du das noch rausnehmen?«

Das musste der Erdbeerjoghurt sein, den Mama ihm als Pausenbrotzeit mitgegeben hatte. »Mach ich«, sagte Paul. »Wenn wir da sind.«

Als sie fünf Minuten später vor der Schule ankamen, stellte Paul sein Fahrrad ab. Er schaute sich um, ob ihn jemand beobachtete. Dann setzte er schnell seinen Ranzen auf den Boden und öffnete ihn.

Zippel saß auf den Büchern und grinste ihn an. »Wenn wir heute Mittag heimkommen, kann ich die alle lesen«, sagte er und rieb sich die Hände. »Dann darfst du dir ein Buch wünschen und ich les es dir vor, okay?«

Paul nahm das Glas mit dem Erdbeerjoghurt raus. In dem Moment kamen Tim und Tom um die Ecke. »Oh nein«, murmelte Paul.

»Was ist denn?«, fragte Zippel und wollte gerade über den Rand des Schulranzens schauen.

»Sei still«, zischte Paul und machte schnell den Ranzen zu. Weil er das Joghurtglas in der Hand hielt, dauerte es länger als sonst, die beiden Schnallen zuzuklicken. Gerade als er den Ranzen aufsetzen wollte, schauten ihm Tim und Tom über die Schulter.

»Oh, was hast du denn da Leckeres dabei?«, fragte Tim. Er nahm Paul das Glas aus der Hand. »Erdbeerjoghurt! Mjam!

Mein Lieblingsessen. Danke dir!« Tim hielt das Glas in der Hand und ging einfach weiter, ohne sich umzusehen.

Paul stand da mit leeren Händen. Tom lachte. »Pauls Selbstbedienungsladen. Da kriegen wir ab jetzt jeden Morgen unsere Brotzeit.« Dann lief er Tim hinterher.

Die ganze Szene hatte nur ein paar Sekunden gedauert. Tim hatte Paul die Brotzeit weggenommen, als sei das das Selbstverständlichste von der Welt. Als würde sie ihm eh gehören.

Paul hatte einen salzigen Geschmack in der Kehle. Weil er die Tränen runterschluckte, die in ihm aufstiegen. Bloß nicht weinen jetzt. Darauf warteten die beiden ja nur. Er setzte seinen Ranzen auf und lief weiter in Richtung Schule. Zehn Meter vor sich hörte er Tim und Tom lachen.

Und direkt hinter sich, in seinem Schulranzen, hörte er eine kleine, wütende Stimme. »Rache!«, schnaubte diese Stimme. »Das war die allergemeinste Gemeinheit der Welt! Na wartet, wenn ich euch kriege, zerquetsch ich euch zu Gespenstermus!«

»Pst«, flüsterte Paul und trottete still ins Klassenzimmer.

Tim und Tom hatten schon ihre Jacken über die Stühle gehängt und saßen auf ihren Plätzen. »Ja Mensch, der Paul«, rief Tim, so als würde er sich wahnsinnig freuen, ihn zu sehen. »Guten Morgen. Geht's dir gut?«

Paul ging stumm an den beiden vorbei und setzte sich in die letzte Bank.

Kapitel 10

In der ersten Stunde hatten sie Sachkunde. Herr Ampermeier hatte lauter kleine Plastikbäume mitgebracht, die Kinder sollten ihm sagen, wie die Bäume heißen, Birke, Tanne, Fichte, Buche … Einmal fragte er Paul, welcher Baum denn einen weißen Stamm hat. Paul hatte nicht zugehört, weil er immer noch so wütend war. Natürlich wegen des geklauten Joghurts, aber auch weil er wusste, dass Zippel gesehen hatte, wie Tim und Tom ihn so fies behandelt hatten. Sein Herz klopfte, und noch immer musste er die Tränen zurückhalten, die direkt hinter seinen Augen standen, wie Wasser hinter einer Staumauer. Das machte ihn noch wütender. Dass die beiden es immer wieder schafften, ihn zum Weinen zu bringen, war das Allerfieseste. Als Herr Ampermeier ihn jetzt fragte, wie dieser Baum heißt, der mit dem weißen Stamm, zuckte Paul nur mit den Schultern. »Weiß ich nicht.«

»Ach komm«, sagte Herr Ampermeier. »Das weißt du. Weißer Stamm. Grüne Blätter.«

»Ist doch egal«, sagte Paul.

Herr Ampermeier runzelte die Stirn: »Fehlt dir was?«

Paul war kurz davor zu sagen: »Ja, verdammt, mein Erdbeerjoghurt.« Aber er murmelt nur: »Nein, nein, geht schon.«

Herr Ampermeier sah ihn noch kurz prüfend an, dann zuckte er mit den Schultern und sagte: »Na gut, wer kann mir meine Frage beantworten?«

Lauter Finger gingen hoch und Tim rief: »Sie meinen doch sicher eine Birke, Herr Ampermeier!«

»Ja«, sagte Herr Ampermeier, »aber du sollst nicht dazwischenrufen, Tim.«

»'tschuldigung, Herr Ampermeier«, sagte Tim, so als sei er der allerbravste Schüler überhaupt.

Dann ging es weiter um die verschiedenen Bäume und nach zwanzig Minuten sagte Herr Ampermeier: »So, und jetzt gehen wir alle raus in den Pausenhof und schauen, welche Bäume wir da draußen finden.«

Die meisten Kinder sprangen sofort von ihren Stühlen. Paul ließ sich Zeit, er wollte mit niemandem reden. Beim Rausgehen sah er, wie Tim und Tom versuchten, sich im Klassenzimmer zu verstecken. Herr Ampermeier kriegte das aber mit und rief: »Ihr zwei, los, raus mit euch!« Tim und Tom schlurften murrend in den Gang.

Draußen standen sie dann alle rum, Herr Ampermeier zeigte auf einen Nadelbaum am Rand des Pausenhofs und fragte, was das ist. Irgendwer sagte: »Tanne.« Herr Ampermeier sagte »Richtig!«, und fragte nach dem nächsten Baum.

Als sie nach einer Viertelstunde wieder ins Schulgebäude gingen, roch es im Klassenzimmer etwas süßlich. Lotti, die zwei

Bänke vor Paul saß, sagte: »Riecht wie Kaugummi hier.« – »Nee«, meinte ihre Banknachbarin Johanna, »eher wie Früchtemüsli.«

Herr Ampermeier aber sagte, das kommt sicher von draußen, und machte weiter mit seinem Unterricht.

Dann klingelte es zur Pause. Alle sprangen auf. Tim und Tom zogen schnell ihre Jacken an. Tim ging gerade durch die Klassentür, als er beide Hände in die Jackentaschen steckte – und erstarrte. Seine Augen wurden immer größer. Er stand im Türrahmen, hinter ihm eine Traube anderer Kinder, die alle rauswollten und jetzt erstaunt schauten, warum Tim nicht weiterging. Er zog die Hände langsam aus den Jackentaschen. Rosafarbener Schleim tropfte von seinen Fingern. »Iiih«, kreischten einige Mädchen hinter ihm.

Jetzt zog auch Tom, der neben der Tafel stand, seine Hände aus den Taschen. Dasselbe Bild: Große Augen. Verwunderung. Rosa Hände, von denen es auf den Boden tropfte.

»Ach, danach hat es hier gerochen«, sagte Selina kichernd. »Erdbeerjoghurt.«

Tim und Tom sahen einander an. Dann guckten beide hasserfüllt auf Paul. »Warst du das?«, fragte Tim.

»N...n...nein«, stotterte Paul. »Wie denn? Wann denn?«

»Was ist das für ein Joghurt?«, fragte Herr Ampermeier.

»Der ist vom Paul«, sagten Tim und Tom wie aus einem Mund.

»Ach«, sagte Herr Ampermeier, »und wie ist er dann in eure Jackentaschen gekommen?«

»Weiß ich nicht«, sagte Tim.

»Keine Ahnung«, sagte Tom.

Um die beiden bildeten sich kleine rosa Seen, der Joghurt tropfte weiter von ihren Händen. Und er tropfte auch durch die Jacken durch.

»Kannst du das erklären?«, fragte Herr Ampermeier und sah dabei Paul an.

»Na ja«, sagte Paul und zuckte mit den Schultern: »Sie haben ihn mir heute Morgen vor der Schule weggenommen.«

»Warum habt ihr Paul den Joghurt weggenommen?«, fragte Herr Ampermeier.

»Weil …« Tim zuckte mit den Schultern. »Schmeckt halt gut.« Tom sagte gar nichts.

»Ihr geht jetzt ins Bad, wascht eure Hände und machte eure Jacken sauber«, befahl Herr Ampermeier. Dann zeigte er auf die rosa Pfützen am Boden, die um die beiden herum immer größer wurden: »Danach wischt ihr die Sauerei hier auf und wir reden miteinander.«

Paul ging raus in den Pausenhof. Linus stand neben ihm. »Die zwei sind echt so doof«, sagte er. »Willst du was von meiner Brotzeit abhaben?« Er hielt Paul eine Schale mit Weintrauben hin.

»Oh«, sagte Paul, »danke.«

Linus war neu in der Klasse. Er war in den Sommerferien hierhergezogen. Paul nahm sich ein paar Weintrauben aus Linus' Schale und schaute sich dabei nach Tim und Tom um. Aber die beiden mussten erst noch aufwischen.

Linus fragte: »Sind die immer so blöd?«

Paul nickte. »Jedenfalls zu mir. Ich versteck mich lieber mal.«

Er rannte über den ganzen Pausenhof und dann über den Sportplatz, bis weit hinten zu den Ginsterbüschen. Dort kroch er hinter den größten Busch und schaute Richtung Schulgebäude. Linus sah die ganze Zeit zu ihm rüber, und Paul gab ihm ein Zeichen, dass er nicht so auffällig zu ihm hinschauen sollte. Er hatte solche Angst. Tim und Tom würden sich sicher rächen, wenn sie erst mal fertig waren mit Saubermachen. Das Herz klopfte ihm bis zum Hals. Gleichzeitig freute er sich heimlich. Endlich. Einmal so richtige Rache. Danke, Zippel, dachte er.

Da sah er sie. Tim und Tom kamen aus dem Schulgebäude. Beide drehten suchend ihre Köpfe. Tim machte Tom ein Zeichen, du linksrum, ich rechtsrum. Sie liefen langsam durch das Gewimmel des Pausenhofs und hielten Ausschau nach ihm. Drei Mädchen aus ihrer Klasse lachten, als sie Tim sahen. Sie hielten ihre Nasen in seine Richtung und schlossen die Augen, so als würde er besonders gut duften. Tim achtete gar nicht auf sie, sondern suchte mit zusammengekniffenen Augen weiter den Pausenhof ab. Paul klopfte das Herz bis zum Hals. In dem Moment zeigte Tim über den Sportplatz in seine Richtung. Tom guckte auch in Richtung der Büsche und nickte. Die beiden wollten gerade loslaufen, da gongte es. Tim und Tom sahen einander an. Sie schienen zu überlegen, ob sie trotzdem noch zu ihm rüberrennen sollten. Aber dann gingen sie zurück ins Schulgebäude. Linus stand als Letzter an der Glastür und winkte kurz, um ihm zu zeigen, dass die Luft rein war. Paul wartete trotzdem noch eine Minute, dann rannte er zurück.

Er schlüpfte gerade noch rechtzeitig zur Klassenzimmertür herein, um den Anfang der nächsten Stunde nicht zu verpassen. Sie hatten jetzt Rechnen. Herr Ampermeier drehte sich zur Tafel.

»Sooo«, sagte er, während er *17 + 25 + 6* an die Tafel schrieb. »Jetzt schauen wir mal, wer gut kopfrechnen kann.«

Er hatte die Rechnung gerade fertig geschrieben, als Tims Stimme von hinten rief: »Herr Hampelmeier! Herr Hampelmeier! Ich weiß das Ergebnis, Herr Hampelmeier.«

Herr Ampermeier drehte sich um, kniff die Augen zusammen und sah Tim scharf an: »Wie bitte?« Herr Ampermeier redete immer ganz leise, wenn er wütend wurde.

Tim schluckte. »Ich war das nicht«, sagte er, »ich hab nichts gesagt.«

Herr Ampermeier fragte mit dieser schneidend dünnen Stimme: »Hast du gerade Hampelmeier zu mir gesagt?«

»Nein«, sagte Tim. »Ehrenwort.«

Herr Ampermeier stand bewegungslos da. Er bekam rote Flecken im Gesicht und seine Halsschlagader schwoll an. Langsam drehte er sich wieder zur Tafel.

Sofort war wieder Tims Stimme zu hören: »Herr Hampelmeier, Herr Hampelmeier, ich weiß doch, was rauskommt. Elfundhundertsiebentausendzwölfzigvielefünf.«

Tim rief, noch bevor Herr Ampermeier sich ganz zu ihm umgedreht hatte: »Da macht mich jemand nach, Herr Hampel..., 'tschuldigung, Herr Ampermeier.«

»Ach ja«, sagte Herr Ampermeier. »Und wer kann dich so gut nachmachen?«

»Kei… keine Ahnung«, stammelte Tim und guckte fragend zu Tom, der aber genauso verwundert aussah wie er selber und hektisch den Kopf schüttelte.

Paul, der die ganze Zeit schon ein Lachen unterdrücken musste, sah aus dem Augenwinkel etwas Weißes an der Decke entlanghuschen.

Herr Ampermeier drehte sich wieder zur Tafel und wollte gerade weiterschreiben.

»Hey, Herr Ampelmännchen, ich war das.« Diesmal klang es, als hätte Tom gerufen.

Herr Ampermeiers Hand hielt mit der Kreide in der Luft an. Mehrere Sekunden lang. Er sah jetzt aus wie eine Wachsfigur, aber seine Halsschlagader war so geschwollen, dass man sehen konnte, wie das Blut durchpochte. Sein ganzes Gesicht war rot vor Zorn.

»Hoho«, sagte die Stimme, **»Ampelmännchen glüht vor Wut, rote Farbe steht ihm gut!«**

Herr Ampermeier zitterte am ganzen Körper. Die Kreide zerbrach in seinen Fingern, als er mit ganz leiser Stimme sagte: »Raus mit dir, Tom! Sofort!«

Tom murmelte, dass er das nicht war, aber Herr Ampermeier wirkte so beeindruckend in seinem Zorn, dass Tom doch sofort aufstand und rausging.

Herr Ampermeier versuchte, sich zu beruhigen. Er atmete mehrmals tief ein und aus, öffnete den obersten Knopf von seinem Hemd, schaute kurz zum Fenster raus, drehte sich dann wieder

zur Tafel und sagte: »Also, wo war ich? Genau, *17 plus 25 plus 6*, wie viel ist das?«

Er schrieb gerade das Ist-gleich-Zeichen an die Tafel, als Tims Stimme rief: »Aber Herr Strampelanzug, warum hast du denn nur den Tom rausgeworfen?«

Herr Ampermeier erstarrte. Seine rechte Hand blieb an der Tafel, während die Stimme rief:

Strampelanzug steht dir auch, sieht man besser deinen Bauch!

Herr Ampermeier drehte sich wie in Zeitlupe um. Er reckte seinen krebsroten Kopf weit nach vorne, seine Augen quollen ihm fast aus dem Kopf. »RAUS!«, schrie er. »SOFORT!«

Tim rannte panisch aus dem Klassenzimmer.

Nach der Schule lief Paul schnell zum Parkplatz, auf dem die Fahrräder standen. Er hielt nervös Ausschau nach Tim und Tom, aber konnte sie im Gewimmel nicht sehen. Er kniete sich hin, um sein Rad aufzusperren. Als er wieder aufblickte, entdeckte er die beiden vor dem Schultor. Neben ihnen standen Herr Ampermeier und der Direktor, die beide auf sie einredeten. Die Jungen wirkten viel kleiner als sonst.

Paul sprang auf sein Rad und fuhr langsam los. Und fühlte sich, als würde er von hinten angeschoben. Als hätte er Rückenwind. Als würde sein Rad ganz von alleine rollen. Er trat in die Pedale und hörte, wie im Schulranzen eine ganz leise Stimme sang:

Elfundhundertsiebentausendzwölfigvieledrei,
Schule ist sehr langweilig, doch jetzt ist sie vorbei.
Elfundhundertsiebentausendzwölfigvielezehn,
Timmi, Tommi, poppelpommi, will ich nie mehr sehn.
Elfundhundertsiebentausendzwölfignochvielmehr,
Tommi, Timmi, pippelpimmi, trauen sich nie mehr.

Es kam Paul vor, als würde die Stimme in ihm drin singen. Am Bach hielt er an und ließ sein Fahrrad einfach in die Wiese fallen. Es war niemand zu sehen. Noch während er seinen Schulranzen abnahm, kam Zippel rausgeschwebt.

»Puh«, sagte Paul grinsend, während er sich ins Gras setzte.

»Hui puh!«, rief Zippel und machte in der Luft einen Salto.

Paul strahlte. »Das war so toll. Ich glaube, die lassen mich ab jetzt in Ruhe.«

»Will ich hoffen«, sagte Zippel. »Weil, also Schule ... Wer hat sich das denn ausgedacht? Siebzehn und vier, sechzehn und fünf, und wie heißt dieser Baum? Ich dachte, in der Schule spielt man was, wie wir zu Hause, nur alle zusammen.«

»Nee, da muss man leise sein und lernt was.«

»Och«, sagte Zippel. »Ich weiß ja schon viel. Ich komm latürnich mit, wenn du mich noch mal brauchst, aber wenn's geht, bleib ich lieber zu Hause und spiel Wasserfall.«

Zuhause. Bei dem Wort zog sich Paul alles zusammen. Was, wenn das Schloss schon ausgewechselt war? Heute war ja Freitag. Paul musste schlucken. Sein Bauch fühlte sich an, als hätte er einen kalten, schweren Klumpen im Magen. Er wollte die

schöne Stimmung nicht verderben und sagte deshalb nichts. Doch. Eines sagte er: »Mann, Zippel, danke. Du hast mir echt sehr geholfen.«

»Latürnich«, sagte Zippel, »dafür bin ich doch da. Oh. Was hast du denn?«

Paul war plötzlich verstummt. Kein Wunder. Er hatte Tim entdeckt. Der kam jetzt mit seinem orangen Rad über die Wiese. Ganz langsam rollte er auf die beiden zu und sah währenddessen die ganze Zeit Paul an. Paul stand auf und wischte sich das Gras von den Händen. Zippel verschwand hinter dem kleinen Baum, der direkt am Bach stand. Tim stellte sein Rad in der Nähe des Baums ab. Sein Schulranzen war hinten auf dem Gepäckträger festgemacht. Tim kam auf Paul zu, ohne etwas zu sagen. Paul schluckte und zwang sich, nicht davonzulaufen. Als Tim einen Meter vor ihm stand, sagte er: »Das warst du.«

»Was?«, fragte Paul.

»Das mit dem Joghurt«, sagte Tim. »Und das mit der verstellten Stimme. Ich weiß nicht, wie du das gemacht hast, aber das warst alles du.«

»Kann schon sein«, sagte Paul und musste wieder schlucken. »Kann aber auch sein, dass es jemand anders war.«

»Ach ja«, schnaubte Tim. »Und wer?«

»Geht dich nichts an«, sagte Paul.

»Tja«, sagte Tim. »Weißt du, was jetzt gleich passieren wird?«

»Keine Ahnung«, sagte Paul.

»Dein Schulranzen«, sagte Tim und zeigte auf Pauls Ranzen, der zwischen den beiden im Gras lag, »der wird jetzt gleich den

Bach runterschwimmen. Mit allen Heften und Büchern und Stiften. Und da hilft dir deine verstellte Stimme gar nichts.«

»Mal sehen«, sagte Paul.

Tim stutzte. Paul war so anders als sonst. Normalerweise hatte er doch immer furchtbare Angst und schaute auf den Boden, sobald Tim ihn ansprach. Diesmal stand Paul vor ihm und schaute einfach zurück. Und weil Paul ihn die ganze Zeit ansah, bekam Tim nicht mit, wie etwas Kleines, Weißes sehr schnell unter den Sattel seines Fahrrads schwebte.

»Tja«, sagte Paul. »Weißt *du* denn, was jetzt gleich passieren wird?«

»Nachplappern kann ich selber«, sagte Tim. Aber er klang gar nicht mehr so angeberisch wie sonst und fragte: »Wieso? Was denn?«

»Dein Schulranzen«, sagte Paul und zeigte über Tims Schulter. »Und dein Fahrrad. Und der Bach.«

Tim wollte sich eigentlich nicht umdrehen, weil das natürlich uncool war, aber dann sah er, wie Paul lächelte, und er hörte auch dieses Geräusch. Reifen, die durch Gras rollen. Als Tim sich dann doch umdrehte, fuhr sein Rad gerade in zehn Metern Entfernung an ihm vorbei in Richtung Bach. »Aber …«, stammelte er, »aber … Halt!«

Das Fahrrad rollte weiter geradeaus, ganz langsam. Zwei Enten flatterten verschreckt auf, als es an ihnen vorbeikam. Das Rad war jetzt direkt an der Kante, noch ein halber Meter, dann würde es über die Böschung ins Wasser fallen.

»Stopp«, rief Paul. »Das reicht.«

Das Fahrrad hielt an, das Vorderrad hing in den Bach, das Hinterrad stand noch auf der Wiese.

Tim sah Paul mit riesigen Augen an. Dann wich er langsam zurück. Einen Schritt, zwei Schritte.

Paul sah ruhig zurück. »Lass mich einfach in Frieden«, sagte er. »Okay?«

Tim rannte zu seinem Rad. Er riss es aus dem Bach, starrte währenddessen auf Paul, zerrte das Fahrrad herum, sprang drauf und radelte so hektisch los, dass er fast umfiel.

Kapitel 11

Eine halbe Stunde später saß Paul in seinem Zimmer, als es klingelte. Das musste Herr Ritsche sein.

Pauls Mama rief aus der Küche: »Paul? Kannst du kurz aufmachen? Ich koche gerade.«

»Okay«, rief Paul aus seinem Zimmer.

Zippel flatterte aufgeregt vor Paul auf und ab. »Nein!«, flüsterte er »Neinneinnein. Wir machen einfach nicht auf. Dann geht der Blödmann wieder weg. Oder warte, ich hab eine bessere Idee: Ich verzauber ihn!« Er schwebte mitten im Zimmer, fuchtelte mit den Armen in der Luft herum und murmelte:

**Ritsche, Ritsche, böser Mann,
der nicht noch mal klingeln kann.**

Es klingelte wieder.

»Paul?!« Die Stimme aus der Küche klang ungeduldig, vielleicht auch, weil es ein bisschen angebrannt roch.

»Jaja, ich mach schon auf«, sagte Paul.

Paul lief langsam den Flur entlang und öffnete die Tür.

Vor ihm stand Herr Ritsche mit seinem riesigen Werkzeugkasten.

»Grüß dich, Paul. Ich soll bei euch … Oh, da kommt Rauch aus der Küche. Brennt es bei euch?«

»Nein, nein, das ist nur meine Mama, die was kocht«, sagte Paul.

»Ach so«, sagte Herr Ritsche. »Also, ich soll bei euch das Schloss auswechseln.«

»Echt jetzt?«, sagte Paul. »Das Schloss ist eigentlich noch super.«

Seine Mutter tauchte kurz im Türrahmen der Küche auf. »Hallo, Herr Ritsche, gut, dass Sie da sind.« Hinter ihr kamen kleine Rußwölkchen durch die Küchentür. »Ich muss gerade was Neues kochen, mir ist der Spinat ein ganz klein wenig angebrannt. Kommen Sie allein zurecht?«

»Kein Problem«, sagte Herr Ritsche.

Er kniete sich vor die offene Tür und schaute sich das Schloss genauer an, die Schrauben, den Türknauf, das große Schlüsselloch. Am Ende kniff er das linke Auge zu und guckte mit dem rechten durch. Plötzlich zuckte er mit dem Kopf von der Tür zurück und zog die Luft durch die Zähne ein, so wie es Erwachsene oft machen, wenn ihnen was wehtut und sie nicht Aua rufen wollen. »Was war denn das? Verflixt noch mal.« Er hielt sich eine Hand übers rechte Auge.

»Was haben Sie denn?«, fragte Paul.

»Ich weiß nicht«, sagte Herr Ritsche. »Das war wie eine Staubwolke. Kann ich mir kurz das Auge auswaschen?«

»Ja klar«, sagte Paul, »kommen Sie mit.«

Paul machte die Tür zum Bad auf, Herr Ritsche beugte sich übers Waschbecken und fing an, sein Auge vorsichtig mit kaltem Wasser auszuwaschen.

Im selben Moment hörte man von draußen riesigen Lärm, es schepperte und krachte im ganzen Treppenhaus. Herr Ritsche richtete sich auf. Draußen krachte es wieder. Paul sah im Spiegel über dem Waschbecken Herrn Ritsches erstaunten Gesichtsausdruck. Beide lauschten. *Zing! Bong! Peng! Doing!* Herr Ritsche rannte mit tropfendem Gesicht aus dem Badezimmer ins Treppenhaus. Sein Werkzeugkasten stand nicht mehr vor der Tür, sondern am Treppengeländer. Und er war sperrangelweit offen. »Aber …«, rief er verdutzt, »was ist denn …?«

Er schaute in den Kasten. »Wo ist mein Werkzeug?« Dann beugte er sich übers Geländer und sah ungläubig nach unten.

»Ja Kruzifümferl, wer war das?« Er schaute die Treppe hoch und runter. Dann schaute er ärgerlich auf Paul.

»Ich hab nichts gemacht«, sagte Paul, »Ehrenwort!«

Pauls Mutter tauchte auf. »Was ist denn passiert?«

»Jemand hat mein Werkzeug die Treppe runtergeworfen.«

»Was? Paul, warst du das?«

»Nein, wirklich nicht, so was würd ich nie machen, außerdem hab ich Ihnen doch das Bad gezeigt.«

»Ja, das stimmt«, sagte Herr Ritsche.

»Huch, was ist denn mit Ihrem Auge passiert?«, fragte Pauls Mama ganz entsetzt.

Das Auge sah ziemlich schlimm aus, es war rot und tränte, so als hätte Herr Ritsche es mit Zwiebelsaft eingerieben.

»Versteh ich auch nicht«, sagte er. »Als ich durch Ihr Schloss geschaut habe, ist mir lauter Staub ins Auge gewirbelt. Ich glaub, ich fahre kurz zum Arzt. Es brennt ziemlich. Ich tausche Ihr Schloss am Montag aus, in Ordnung?«

»Ja, natürlich«, sagte Pauls Mama.

»Ich helf Ihnen, Ihr Werkzeug einräumen«, sagte Paul und ging mit Herrn Ritsche langsam die Treppe runter.

Kapitel 12

Beim Mittagessen fragte Pauls Mama: »Wie ist bloß das Werkzeug da runtergeflogen?«

»Keine Ahnung«, sagte Paul.

»Es war doch niemand im Treppenhaus?«, fragte Mama.

»Vielleicht doch«, sagte Paul. Er schob den strohtrockenen Blumenkohl auf seinem Teller hin und her.

»Aber wer?«, sagte Pauls Mama.

Statt ihr zu antworten, fragte Paul: »Was machen wir eigentlich am Wochenende?«

»Oh, keine Ahnung, wie wär's mit einem Ausflug?«

»Au ja«, rief Paul.

»Huch«, sagte Mama. »Was ist denn mit dir los?«

»Warum?«

»Na, wenn ich sage, wir machen einen Ausflug, reagierst du doch sonst immer so, als würde ich sagen, du musst dein Zimmer aufräumen.« Sie zog ihr Gesicht in ganz viele Falten, sodass sie extrem schlecht gelaunt aussah, und sagte mit muffeliger Stimme: »Muss das sein? Keine Lust. Ich will hierbleiben.«

»Ja. Ähm, nein. Also …« Paul überlegte kurz, dann sagte er: »Ich muss wahnsinnig dringend ein Schloss anschauen.«

»Ein Schloss?«

»Ja. Eine Burg. Ein Schloss. Wo halt früher die Könige und Ritter gewohnt haben. So wie letztes Jahr in Italien, wo es sogar noch diese Zugbrücke gab.«

»Ach, du meinst *Castello di Uviglie*«, seufzte Mama und bekam so einen seltsamen Gesichtsausdruck, wie immer, wenn sie sich an etwas Schönes erinnerte.

»Weiß nicht, wie das hieß«, sagte Paul.

»Hach, das war sooo schön«, schwärmte Mama. »Der Park. Die Gemälde. Und weißt du noch, abends saßen wir in diesem kleinen Dorf auf der Piazza und haben …«

»Genau«, unterbrach Paul sie. »So ein Schloss muss es doch auch hier in der Nähe geben.«

»Ja natürlich«, sagte Pauls Mama. »Schloss Grafenburg. Da waren wir mal mit dir, als du zwei warst.« Sie bekam schon wieder diesen Gesichtsausdruck. »Da bist du durch diese endlos langen Gänge gestapft mit deinen kleinen Beinchen und hast gesagt: ›Hier will ich wohnen.‹ Weißt du noch?« Sie sah Paul ganz verliebt an.

»Nein, keine Ahnung, aber umso besser. Können wir da bitte hinfahren? Bitte!«

»Gern«, sagte seine Mama.

»Morgen?«, fragte Paul sofort.

»Von mir aus auch morgen«, sagte Mama.

»Versprochen?«, fragte Paul.

»Ja, klar«, sagte Mama. »Versprochen. Aber warum musst du da denn so unbedingt hin?«

»Für die Schule«, log er. »Weil wir was über Ritter und Burgen lesen. Aber jetzt muss ich Hausaufgaben machen.«

Er ging in sein Zimmer, dann kam er noch mal zurück: »Ich hab ganz schwere Sachen auf, Mama, ich muss mich echt sehr konservieren und mach mal die Tür zu, ja?«

Mama lachte leise und sagte: »Konzentrieren ist wichtig, mach ruhig deine Tür zu.«

Paul schloss die Tür hinter sich und lief zum Kaufmannsladen.

»Hey, komm raus«, flüsterte er in die Kasse.

Keine Reaktion.

Paul schaute ins Bücherregal. Nichts. Er schaute in die Eisenbahn, er schaute unter sein Bett, er schaute in die Schubladen seines Schranks, aber Zippel war nirgends. Paul ging in den Flur, schlich an der Küchentür vorbei und schaute ins Schlüsselloch der Wohnungstür. Nichts zu sehen.

Er flüsterte: »Hey, bist du hier drin?«, legte sein Ohr an die Tür, aber es war ganz still. Zuletzt ging er noch ins Schlafzimmer und guckte kurz im Kleiderschrank seiner Eltern alle Schubladen durch. Aber Zippel blieb verschwunden.

»Was machst du denn hier?« Seine Mutter stand in der Schlafzimmertür.

»Oh«, sagte Paul, »nichts, ich such nur meinen grünen Pulli.«

»Den grünen Pulli, den du anhast?«, fragte seine Mutter und verschränkte die Arme.

Paul schaute an sich runter. Mist, tatsächlich, er hatte ja heute den grünen Pulli an.

Seine Mutter sah ihn stirnrunzelnd an. »Wolltest du nicht Hausaufgaben machen?«

»Ach ja, Mensch, stimmt«, sagte Paul, so als hätte er das gerade nur vergessen, ging in sein Zimmer und machte die Tür zu.

Kapitel 13

Wenig später klingelte es. Paul rannte sofort in den Flur, um aufzumachen, aber seine Mutter war schon an der Tür. Im Treppenhaus stand Herr Ritsche. Auf seinem rechten Auge war eine Art Verbandpflaster, weiß und dick.

»Oje, wie geht es Ihrem Auge?«, fragte Pauls Mama.

»Ach, das«, sagte Herr Ritsche und fasste vorsichtig an den Verband. »Nicht so schlimm. Ein Äderchen ist geplatzt. Ich muss ein paar Tage dieses Pflaster tragen, dann ist alles wieder gut. Aber ...« Herr Ritsche stand da und wirkte ganz ratlos.

»Was ist denn?«, fragte Pauls Mama.

»Das weiß ich auch nicht«, sagte Herr Ritsche und kratzte sich am Kopf. »Also ... In meiner Wohnung ...«

Pauls Mutter runzelte die Stirn. »Was meinen Sie denn?«

»Das müssen Sie sich selbst ansehen«, sagte Herr Ritsche und eilte schon die Treppe hinunter.

»Darf ich auch mit?«, fragte Paul.

»Von mir aus«, rief Herr Ritsche vom Treppenabsatz.

Mama nahm den Wohnungsschlüssel und zog die Tür hinter

sich zu, beide gingen Herrn Ritsche hinterher, die Treppe runter, durch den Hof und drüben wieder in den zweiten Stock. Herr Ritsche murmelte die ganze Zeit vor sich hin, während er vor ihnen die Treppe hochstieg. Die Wohnungstür stand offen. Herr Ritsche trat einen Schritt zurück, zeigte mit dem ausgestreckten Arm in seine Wohnung und sagte: »Bitte, nach Ihnen.«

Paul und seine Mama gingen durch den Flur ins kleine Wohnzimmer. Da stand ein großer Bücherschrank.

»Oh«, sagte Mama, »das finde ich ja eine witzige Idee.« Sie zeigte auf die Bücher, die alle der Farbe nach sortiert waren. Ganz oben standen die mit einem weißen Buchrücken, dann ein paar Regalbretter voller roter, dann grüne, ein paar blaue und so weiter.

»Finden Sie?«, sagte Herr Ritsche und guckte auf die Bücher. »Ja, ist vielleicht witzig – aber die Idee ist nicht von mir.«

»Wie meinen Sie das?«, fragte Pauls Mama.

»Als ich vorhin zum Arzt bin, standen die Bücher noch kunterbunt durcheinander. Als ich wiederkam, waren sie nach Farben sortiert.«

»Ach so?«, sagte Pauls Mama. »Wohnt denn hier noch jemand?«

»Nicht, dass ich wüsste«, sagte Herr Ritsche. »Und der Bücherschrank ist nur der Anfang.« Er ging in sein Schlafzimmer und öffnete seinen Kleiderschrank. Auf einem Haufen lagen rote Pullis, T-Shirts und Socken. Auf einem anderen Haufen die blauen Jeans und ein paar blaue Hemden und T-Shirts.

Pauls Mama musste leise lachen.

»Sie lachen«, sagte Herr Ritsche, »aber wenn man in seine

Wohnung zurückkommt und alles ist anders, das ist schon unheimlich.«

»Alles?«, fragte Paul. »Ist alles so komisch sortiert?«

Herr Ritsche nickte. »Im Bad die Handtücher. In meiner Vorratskammer ... ich koch doch gern Marmeladen – alle streng nach Farben sortiert. Den Kleiderschrank haben Sie ja selbst gesehen – und schauen Sie mal in die Küche.«

Paul lief in die Küche. Alles sah eigentlich ganz normal aus. Bis Herr Ritsche den Geschirrschrank öffnete. Da standen die weißen Teller und Tassen – und daneben weißer Joghurt, ein Stück weißer Schafskäse, Milch, Taschentücher, weiße Kerzen. Im Tassenschrank lagen neben ein paar roten Tassen die Tomaten und auf einer orangen Schüssel zwei Orangen und daneben orange Servietten.

»Da wollte wohl jemand für Sie aufräumen«, sagte Pauls Mama.

»Ja, aber wer?«, fragte Herr Ritsche. »Ich wohne hier alleine. Und es hat außer mir auch niemand einen Schlüssel. Ich glaub, ich muss die Polizei holen.«

»Die Polizei?!?«, rief Paul und merkte selbst sofort, dass er das viel zu laut gerufen hatte.

Herr Ritsche sah ihn an. »Na ja, bei mir wurde eingebrochen.«

Pauls Mama nickte. »Stimmt. Aber es ist ja nichts weggekommen, oder? Kann es nicht sein, dass das Kinder waren, die Ihnen einen Streich spielen wollten?«

»Oder ... oder sich entschuldigen«, sagte Paul.

»Wissen Sie was«, sagte Paul Mama, »ich helfe Ihnen kurz aufräumen.«

»Und ich geh wieder Hausaufgaben machen«, sagte Paul. »Wiedersehen, Herr Ritsche.«

Er hörte noch, wie Herr Ritsche zu Mama sagte: »Wenn ich Ihr Schloss am Montag austausche, tausche ich meines gleich mit aus. Das ist ja auch ganz alt. Und ich schau im ganzen Haus, ob noch jemand solch ein Schloss hat, das man leicht aufkriegt.«

Paul rannte schnell rüber ins Vorderhaus. Er hatte kaum die Wohnungstür aufgemacht, da rief er schon: »Zippel! Komm sofort raus! Wo bist du?«

Zippel schien schon auf ihn zu warten. Er schwebte in der Mitte von Pauls Zimmer über dem Teppich und fragte strahlend: »Na, hat er sich gefreut?«

»Sag mal, bei dir piept's wohl!«, rief Paul.

Zippel lauschte kurz, dann sagte er: »Nein, ich hör nichts. Bei mir piept niemand. Bei dir etwa?«

»Ich meine: Du spinnst doch!«

»Auch nicht«, sagte das Gespenst und lächelte immer noch. »Bei mir im Schloss, also bei euch in der Tür, da wohnt so eine ganz klitzekleine Spinne mit mir zusammen, die heißt Aluni, aber hier ...«

»Mann«, unterbrach ihn Paul. »Du warst bei Herrn Ritsche in der Wohnung.«

»Ja, latürnich war ich in seiner Wohnung«, rief Zippel stolz.

»Und ich hab sooo schön aufgeräumt! Ehrlich wahr.« Zippel wischte aufgeregt hin und her, wedelte mit seinen Ärmchen in der Luft herum und sang:

Alles liegt so irgendwo,
ist Herr Ritsche gar nicht froh.
Alles kommt an seinen Platz,
Bin ich gleich Herrn Ritsches Schatz.

»Bist du nicht«, rief Paul. »Herr Ritsche hätte fast die Polizei geholt wegen dir. Er denkt, das waren Einbrecher. Am Montag tauscht er ganz bestimmt dein Schloss aus. Und dazu auch alle anderen alten Schlösser im Haus.«

Zippel sank auf den Teppich. »Was? Wie? Oh nein. Oh neiiiin. Das hab ich nicht gewollt.« Er fing an zu schluchzen. »Buhuhuhu, ich wollt mich entschluuudiigen. Für die Wunde im Auge. Und jetzt … alles mach ich verkehrt.«

Paul seufzte. Sein ganzer Teppich war schon wieder voller Staubtränenfäden. Und ihm wären fast selbst die Tränen gekommen, als er sagte: »Weißt du was, morgen fahren wir zu einem richtigen Schloss.«

»Was ist ein richtiges Schloss?«, fragte Zippel schniefend und wischte sich ein paar Tränenfäden aus dem Gesicht.

»Na, eines für Könige und Burgfräulein.«

»Oh«, sagte Zippel. »Aha. Aber … aber kommst du denn auch mit?«

»Ja klar«, sagte Paul und versuchte zu lächeln. »Keine Sorge. Ich bring dich hin.«

»Du bringst mich hin? Was soll das heißen? Fährst du dann wieder weg?«

»Wir schauen es uns an. Und wenn's dir gefällt, bleibst du da.«

Das Gespenst fing schon wieder an zu weinen. »Buhuhuhuuuu. Du verläääässt mich! Ich bin ein schleeechtes Gespenst.«

Als Paul ihn so sah, wusste er nicht, ob er mitweinen oder lachen sollte. Lieber, lieber Zippel, dachte er. Er hatte ihn so wahnsinnig gern. Wahrscheinlich hatte er überhaupt noch nie irgendwen so gerngehabt wie dieses kleine weiße Wesen, das gerade seine Spinnwebtränen im ganzen Zimmer verteilte.

»Ach, Zippel«, sagte er, »du bist ein tolles Gespenst. Aber du bist ein Schlossgespenst. Ich glaube, du gehörst in ein richtiges Schloss. Nicht in ein Türschloss. Sondern in ein großes, altes Schloss mit Türmen und Wendeltreppen und Schatztruhen und Ritterrüstungen. Da leben die Gespenster und spuken nachts durch die Gänge.«

»Spucken?«, fragte Zippel und wischte sich ein paar Staubtränen aus dem Gesicht. »Warum spucken die denn? Sind die Gänge dann ganz nass?«

»Spuken«, sagte Paul. »Die schweben nachts durch die Gänge und machen unheimliche Geräusche.«

»Woher willst du denn so was wissen?«, fragte Zippel.

»Das steht in allen Gespenstergeschichten.« Paul ging zu seinem Bücherschrank und zog drei Bücher aus dem Regal. Auf allen sah man ein kleines Gespenst vor einer Burg herumschweben. »Guck«, sagte Paul. »Die leben alle in solchen großen, alten Ritterschlössern.«

»Aha«, sagte Zippel wenig überzeugt. »Und wer hat die geschrieben?«

»Na, irgendwelche Schriftsteller.«

»Was soll das denn sein? Sind das Gespenster?«

»Nein, Schriftsteller sind Menschen. Das sind Erwachsene, die Bücher schreiben.«

»Awachsana!«, rief Zippel ganz empört. »Awachsana! Was wissen denn Awachsana über Gespenster? Gar nix wissen die. Nichts! Awachsana sind ganz dumm und groß und stopfen Schlüssel in mein Schloss und bauen schöne Schlösser aus der Tür aus und hässliche neue Schlösser ein und schimpfen und machen ganz dumme Ordnung mit Farben, und die anderen machen Ordnung ohne Farben und dauernd sind die alle sauer! Ehrlich wahr!«

»Ja, aber weißt du, was das Tolle an einem Schloss ist?«, sagte Paul. »Also an einem richtigen Schloss? Da sind abends und nachts keine Erwachsenen.«

»Oh«, sagte Zippel. »Wirklich? Keine einzigen?«

»Keine einzigen. Da kannst du nachts so laut sein, wie du willst. Und es gibt viel Schmutz und Staub und uralte Türen mit noch viel ururälteren Türschlössern.«

»Oh«, sagte Zippel. »Wo ist denn dieses Schloss ohne Awachsana?«

»Da fahren wir morgen hin.«

»Mhm. Und diese Schriftsteller, was schreiben die so über Schlossgespenster?«

»Dass sie mit ihren Ketten rasseln. Und so huibuh durch die

Gänge schweben und in Rüstungen wohnen und in Schatztruhen übernachten.«

»Da siehst du's«, sagte Zippel. »Keine Ahnung haben deine Schriftsteller. Ich bin ein wirklich wahres Schlossgespenst. Und die in deinen Büchern sind nur gemalt. Aber von mir aus, dann schau ich mir das eben an. Ehrlich wahr. Manchmal bist du fast so seltsam wie ein Awachsana.«

Kapitel 14

Als Paul und seine Eltern am nächsten Morgen das Haus verließen, blieben sie bei den Briefkästen stehen. Da hing ein großes Blatt Papier. Darauf stand in Krakelschrift:

> Liba Här Nitsche!
> Es tut mir ser Leit, ser, ser.
> Si sind der alla beste Hausmasta den ich kenne.
> Und außerdem gute Besserung für ir Auge.
> Das tut mir auch ser Leit. Ehrlich war.
> Ich hab alles falsch gemacht.
> Aba jetzt bin ich erst ma weg und alles wird gut.
> Hoffentlich. Un der Paul kann nix dafär.
> Erenwort!
> Fiele Grüse! Ein Unbekanta den sie gar nicht kennen.

Pauls Mama lachte. »Da hat wohl jemand ein schlechtes Gewissen.«

»Und eine schlechte Rechtschreibung«, sagte Pauls Papa.
Paul sagte nichts.

Dann fuhren sie los. Mama sagte, dass sie im Internet eine Führung bestellt hatte, um zehn Uhr, und dass sie sich freut, dass sie alle zusammen einen Ausflug machen und dass sie außerdem sehr aufgeregt ist wegen ihrer Opernaufführung. Papa sagte wieder mal kaum was.

Und Paul war auch sehr schweigsam. Er hatte seinen kleinen Rucksack mitgenommen, den er die ganze Fahrt über mit beiden Händen fest auf dem Schoß hielt. Er guckte die meiste Zeit zum Fenster raus und musste immer wieder die Traurigkeit runterschlucken, die in ihm aufstieg, wenn er daran dachte, wie das jetzt wohl mit Zippel und dem Schloss werden würde.

Kurz vor zehn kamen sie am Schloss an. Als Mama sah, dass Paul seinen Rucksack mitnehmen wollte, sagte sie: »Den kannst du doch im Auto lassen.«

»Nein«, sagte Paul, »den nehm ich mit.«

»Aber warum denn?«

»Darum«, sagte Paul und drückte den Rucksack fest an sich. Eigentlich hätte es jetzt sicher eine lange Diskussion gegeben, aber Mama wollte auf keinen Fall die Führung verpassen. Also zuckte sie mit den Schultern und sagte: »Na, dann nimm ihn halt mit.«

Als sie an den Eingang kamen, erschrak Paul ziemlich: Da stand ein Wärter in grauer Uniform, der alle Taschen kontrollierte.

Der Mann schaute Paul streng an und sagte nur: »Aufmachen!«

»Den Rucksack?«, fragte Paul.

»Ja klar den Rucksack, was denn sonst?«

»Da ist nur meine Brotzeit drin«, sagte Paul.

»Trotzdem. Wir haben heute die Bürgermeisterin zu Besuch, da müssen wir alle Taschen von allen Besuchern kontrollieren«, sagte der Wärter.

Er nahm Paul den Rucksack ab, holte wortlos die Thermoskanne raus und schüttelte sie. Dann hielt er sie ans Ohr und schüttelte sie noch fester.

»Nicht so doll!«, rief Paul.

»Da ist ja gar kein Tee drin«, sagte der Wärter.

»Hab ich schon ausgetrunken, weil wir so eine lange Fahrt hatten«, murmelte Paul.

»Mhm«, sagte der Wärter, schwenkte sie noch mal ein bisschen hin und her und sagte: »Na gut.«

Paul steckte die Kanne wieder in den Rucksack und lief seinen Eltern hinterher.

An der großen Schlosstreppe stand ein dicker Mann im schwarzen Anzug. Um ihn herum wartete eine Gruppe von Leuten. Das musste die Führung sein.

»Ich muss noch kurz aufs Klo«, rief Paul und lief Richtung Männertoilette. »Geht ruhig vor, ich find euch schon.«

Sobald er auf dem Klo war, machte er den Rucksack auf, nahm die Thermoskanne raus und drehte den Deckel ab.

»Puh«, sagte er, »das war knapp.«

»Puuuh«, stöhnte Zippel tief unten in der Kanne. »Das war nicht knapp. Das war ein Erdbeben. Oder die Neunerbahn auf dem Novemberfest.«

»Achterbahn«, sagte Paul. »Oktoberfest. Komm schnell raus, wir sind da.«

Zippel kam rausgeschwebt, aber er schwankte über der Kanne hin und her und her und hin, wie Dampf, der in Schlangenlinien aus heißem Tee aufsteigt. »Mir ist noch ganz schwanduschwonduschwindelig«, stöhnte er.

»Das tut mir leid«, sagte Paul. »Aber ich muss zu dieser Führung. Kommst du mit? Dann kannst du dir das Schloss ansehen.«

»Von mir aus«, sagte Zippel.

»Pass bloß auf, dass dich keiner sieht«, rief Paul und rannte los. Aber Zippel war schon längst an die Decke geschwebt, und man muss sagen, das ist wirklich praktisch: Zippel hat genau die weiße Farbe, die Wände normalerweise haben, weshalb er so gut wie unsichtbar war, als er da oben an der Decke langschwebte.

Als Paul wieder in die Eingangshalle kam, stand die Gruppe immer noch an der Schlosstreppe. Der Mann im schwarzen Anzug hatte an seiner Jacke ein Namensschild, auf dem stand Dr. Schlumm. Er redete sehr laut, lachte noch lauter und schielte dabei dauernd zu einer Frau rüber, die einen grünen Rock anhatte. Paul fragte seine Mutter, was los ist.

»Ach«, sagte Mama, »da drüben, die Frau im grünen Rock, das ist die Bürgermeisterin von Grafenburg. Die will einfach nur die Führung mitmachen. Und der Schlossdirektor erzählt ihr die ganze Zeit, wie toll er hier alles im Griff hat.«

In dem Moment klatschte Herr Dr. Schlumm in seine großen Hände und sagte: »Sooo. Wunderbar, alles klar, dann wollen wir mal starten.«

Er ging mit der Gruppe einen langen Gang entlang, hielt sich dabei immer in der Nähe der Bürgermeisterin und erklärte, dass das ganze Schloss früher ganz scheußlich ausgesehen hätte. »Als ich angefangen habe als Direktor, war das hier eine furchtbare Bruchbude«, sagte er, »aber inzwischen – ich habe fünf Jahre lang alle Säle renovieren lassen. Und jetzt – wunderbar, alles klar. Sie finden im ganzen Schloss keinen einzigen Rostflecken mehr. Alles blitzblank.«

Als er gerade sagte, dass die Bauarbeiten sechs Millionen Euro gekostet hätten, unterbrach ihn ein kleines Mädchen mit roten Zöpfen und einer schwarzen Brille: »Gibt's hier im Schloss Gespenster?«

Herr Dr. Schlumm war es anscheinend nicht gewohnt, dass man ihn unterbrach. Er stand kurz da und starrte das Mädchen mit offenem Mund an. Dann sagte er: »Aber nein. Es gibt überhaupt keine Gespenster. Hier nicht und auch sonst nirgendwo.«

Er schüttelte verärgert den Kopf. Dann lief er weiter und erzählte der Bürgermeisterin, dass er alle alten Türen und Schlösser ausgetauscht hatte gegen supermoderne feuerfeste Türen und dass das auch sehr teuer war. »Aber jetzt, überall Sicherheitsschlösser, wunderbar, alles klar.«

Paul stöhnte leise, als er das mit den Sicherheitsschlössern hörte.

Das Mädchen mit den roten Zöpfen unterbrach Herrn Dr. Schlumm: »Entschuldigung, Herr Direktor, aber woher wollen Sie denn wissen, dass es keine Gespenster gibt?«

Der Direktor blieb mitten im Gang stehen, als wäre er plötzlich eingefroren. Dann sagte er ziemlich laut: »Also, jetzt mal immer schön höflich, ja? Wenn ihr Kinder irgendwelche Fragen habt, dann meldet ihr euch bitte.«

Peng. Im selben Moment fiel am Ende des Gangs eine Ritterrüstung um, der Helm kullerte langsam über den Holzboden. Es sah aus, als hätte jemand der Rüstung den Kopf abgeschlagen. Herr Dr. Schlumm rannte sofort aufgeregt den Gang hinunter. »Ach du meine Güte. Die ist aus dem 14. Jahrhundert. Ein be-

sonders teures Stück aus unserer Sammlung. Kann mir bitte jemand helfen?«

Die Bürgermeisterin kniete sich hin, packte die Ritterrüstung zusammen mit Herrn Dr. Schlumm an und stellte sie wieder auf.

Paul, der mit den beiden zur Rüstung gerannt war, wollte gerade den Helm aufheben, als der Direktor sich neben ihm bückte und ihn leise anzischte: »Finger weg, das mach ich schon selber.«

Als Herr Dr. Schlumm den Helm in beide Hände nahm und sich damit aufrichtete, kam aus dem Helm ganz leise seine eigene Stimme: »Also, jetzt mal immer schön höflich, ja?«

Herr Dr. Schlumm erschrak so sehr, dass er der Bürgermeisterin aus Versehen auf den Fuß trat.

»Oh, Entschuldigung«, sagte er, »das tut mir furchtbar leid.«

»Oh, Entschludigung«, flüsterte der Helm, »mir auch, also ganz fürchterbar leid«, aber das hörte niemand außer Herrn Dr. Schlumm und Paul, der direkt neben ihm stand.

Paul musste lachen. Herr Dr. Schlumm sah mehrmals verwirrt zwischen dem Helm und Paul hin und her. Paul sah genau, dass Herr Dr. Schlumm ihn am liebsten angeschrien hätte, aber erstens hatte Paul ja nichts gemacht und zweitens hatte sich mittlerweile wieder die ganze Gruppe um ihn und die Rüstung herum versammelt.

Also setzte Herr Dr. Schlumm der Rüstung nur vorsichtig den Helm auf, strich sich die Krawatte glatt und sagte: »Das ist ja noch mal gut gegangen. Wunderbar, alles klar. Dann wollen wir jetzt in den Festsaal hinübergehen. Frau Bürgermeisterin, wenn Sie mir bitte folgen wollen.«

Die Bürgermeisterin verdrehte ein wenig die Augen, als der Direktor sie schon wieder so aufgeregt umflatterte.

Pauls Mama, die gerade neben ihr stand, flüsterte der Bürgermeisterin zu: »Mir kommt es so vor, als würde der Direktor die ganze Führung nur für Sie machen.«

Die Bürgermeisterin flüsterte zurück: »Mir auch. Das ist mir furchtbar peinlich. Er macht das sicher, weil er von mir noch mehr Geld will für Bauarbeiten. Er schreibt mir oft Briefe, dass er mehr und immer noch mehr braucht.«

Herr Dr. Schlumm eilte der Gruppe voran. Paul lief jetzt neben dem rothaarigen Mädchen, das nach den Gespenstern gefragt hatte. Die beiden lächelten einander an.

»Dieser Schlumm hat ja echt keine Ahnung«, sagte das Mädchen leise.

Herr Dr. Schlumm hielt gerade in einem kleinen Saal an, an dessen Wänden lauter goldene Teller hingen, und rieb sich begeistert die Hände. »So, meine Damen und Herren, liebe Frau Bürgermeisterin, dies ist der königliche Speisesaal. Ich habe hier unsere außerordentlich wertvolle Tellersammlung anbringen lassen.«

Das Mädchen meldete sich. Herr Dr. Schlumm tat erst so, als würde er sie nicht sehen, und redete weiter, aber da sagte die Bürgermeisterin: »Ich glaube, das Mädchen hat eine Frage.«

Herr Dr. Schlumm setzte ein schiefes Lächeln auf und sagte: »Jaaa, meine Kleine, was möchtest du denn wissen?«

»Ich wollte noch mal fragen wegen der Gespens…«

»Kind!«, unterbrach sie Herr Dr. Schlumm, »es gibt keine flie-

genden Untertassen, es gibt keine Einhörner und es gibt auch keine Gesp…«

Er wollte natürlich Gespenster sagen, aber in dem Moment sah er, wie sich hinter der Besuchergruppe eine der goldenen Untertassen ganz sachte von der Wand löste und langsam durch den Raum in Richtung Ausgang schwebte.

Paul, seine Eltern, die Bürgermeisterin und all die anderen Besucher standen mit den Rücken zu den Tellern. Sie sahen nur, wie Herr Dr. Schlumm kreidebleich wurde. Wie sein Mund in Zeitlupe auf- und wieder zuging. Und wie er dann stammelte: »Eine fliegende … eine fliegende … die Untertasse, also, die ist wirklich sehr, sehr wertvoll.«

Als sich die Gruppe umdrehte, war die Untertasse schon aus dem Raum in den Gang geschwebt, es war nichts mehr zu sehen außer einer Wand voller großer und kleiner Teller.

»Was meinen Sie?«, fragte die Bürgermeisterin. »Was haben Sie denn?«

Herr Dr. Schlumm sank auf einen goldenen Thronsessel und stierte stumm vor sich hin. Die Besucher sahen ihn besorgt an. Paul und das Mädchen aber rannten aus dem Saal in den Gang. Da stand nur ein Tisch. Auf dem lag eine einzelne Untertasse. Paul sah gerade noch, wie Zippel ganz hinten am Ende des Gangs um die Ecke wischte, als das Mädchen ihn fragte: »Glaubst du auch an Schlossgespenster?«

Paul sagte: »Na ja, ich kann mir jedenfalls nicht vorstellen, dass ein Gespenst in einem Schloss wie dem hier lebt.«

Kapitel 15

Als Paul und das Mädchen in den Saal zurückkehrten, stand Herr Dr. Schlumm wieder in der Mitte der Gruppe und sagte gerade: »Wunderbar, alles klar. Ich musste nur kurz verschnaufen. Ich würde jetzt gerne Ihnen, Frau Bürgermeisterin, die drei schönsten Säle des Schlosses zeigen.«

Also lief er durch die Säle und erzählte, wie toll die geworden sind und wie furchtbar teuer der Umbau war, und einige Erwachsene schüttelten inzwischen schon die Köpfe wegen seiner blöden Führung.

Viel, viel spannender aber war, was Zippel währenddessen entdeckte. Nachdem er sich hinter der Untertasse versteckt hatte und damit aus dem Speisesaal geschwebt war, flog er nämlich alleine den langen Gang entlang und verschwand um die nächste Ecke in einem kleinen Seitengang. Und da blieb er kurz in der Luft stehen und ließ ein geflüstertes »Ooooohh …« hören.

Bis dahin hatte Zippel hier im Schloss alles dermaßen hässlich gefunden, kein Rost, nirgends, kein Staub, kein Öl, und die

Schlösser alle nagelneu und winzig klein. Aber jetzt dieser Gang, das war was anderes: Es fing schon an mit dem knallroten Absperrband. Das sah ja mal richtig interessant aus. Auf dem Band stand: »Betreten strengstens verboten!« Strengstens verboten. Das klang für Zippel gleich noch interessanter.

Er schwebte vorsichtig ins Halbdunkel. Spinnweben überall. Und Staub. Viel Staub. Am Boden. An den Wänden. An der Decke. Ab und zu lagen Balken rum, Werkzeuge, Schaufeln und einige Ziegel, kreuz und quer. Am besten aber gefiel Zippel, dass alles so schön dunkel war. Die alten Fensterläden waren fast ganz geschlossen, sodass nur wenig Licht in milchweißen Streifen hereinfiel. Nach ein paar Metern ging es wieder um eine Ecke. Dahinter stand ein schiefer Thron, dem die linke Armlehne fehlte. Etwas weiter hingen Bilderrahmen an der Wand. Zippel schwebte immer tiefer ins Dunkel, vorbei an einer verrosteten Ritterrüstung und ein paar Lanzen und Schwertern.

Und dann sah er die Uhr. Eine alte, schwere Standuhr. Mit einer dicken, langen Pendelkette. Zippel fing sofort an, diese Pendelkette hin und her zu schlenkern. Leider war sie so verrostet, dass sie in der Mitte abriss. Jetzt war Zippel erst recht begeistert. Das sah doch genau aus wie die Ketten, von denen Paul ihm vorgelesen hatte, aus seinen Schlossgespensterbüchern. Diese Ketten, mit denen die Gespenster spukend durch die Gänge rasselten. Er nahm die Kette, schlang sie sich einmal, zweimal um wie einen Schal und flog damit durch den dunklen Gang.

»Hui buh, bui hu«, rief er. Dann schlenkerte er die Kette mit beiden Armen und rief dazu mit tiefer Stimme: »Rassel, rassel,

rassel.« Er spuckte kleine Staubwölkchen nach links und rechts, rief: »Ich bin ein Spuckgespenst!«, und schwebte rasselnd, spuckend und huibuhend durch den Gang. Das Ganze gefiel ihm so gut, dass er ein kleines Spuk- und Spuckliedchen erfand:

Rassel, rassel, buidihuuuu.
Ich bin gruslig, schubiduuu.
Buidihu und rasselrass,
Spucken macht den größten Spaß!

Kapitel 16

Was Zippel nicht wissen konnte: Der dunkle Gang, der ihm so gefiel, führte an seinem Ende in den sogenannten Krönungssaal. In genau diesem Krönungssaal war inzwischen Herr Dr. Schlumm mit der Bürgermeisterin und der Besuchergruppe angekommen. Herr Dr. Schlumm erzählte gerade, dass er hier im vorigen Monat alle Lampen ausgetauscht hatte und wie furchtbar teuer das alles war, als aus einer Ecke des Saales plötzlich sehr seltsame Geräusche zu hören waren.

Paul deutete stumm auf eine Tür, auf der stand: »Betreten strengstens verboten! Baustelle!« Hinter dieser Tür musste der Lärm herkommen. Es klang, als würde jemand dahinter mit einem Hammer auf den Saiten einer Gitarre herumklopfen. Dazu hörte man sehr seltsamen Gesang. Oder war das der Wind, der durch eine Regenrinne heulte?

Herr Dr. Schlumm versteinerte. »Warten Sie bitte hier auf mich, ich muss ganz kurz nachsehen.« Er öffnete die Tür und verschwand dahinter.

Noch bevor er sie aber wieder schließen konnte, schlüpfte Paul

schnell mit ihm hindurch. Herr Dr. Schlumm wollte gerade mit ihm schimpfen, als ihm der Mund offen stehen blieb. Direkt vor ihm schwebte ein Gespenst. Ganz eindeutig. Ein leuchtend weißes Gespenst, mit einer rasselnden Kette, das sich mitten im Raum hin und her wiegte, seinen Kopf wild herumschleuderte und dazu scheußlich falsch sang.

Zippel hatte in der Zwischenzeit nämlich noch eine alte Harfe entdeckt, die zwischen ein paar Tischen stand und total verstimmt war. Mit seiner Rasselkette plonkerte er an den Saiten lang, hin und her, her und hin, kawongwongwong, kalimplimplim, es klang tatsächlich beeindruckend schief und krumm, und dazu sang er sein kleines Lied weiter. Es hatte sich in der Zwischenzeit von einem Spuk- und Spucklied in ein Spuk- und Spottlied verwandelt und ging so:

**Rasselrisselrusselross,
wer verschandelt dieses Schloss?
Buidihu und huidibumm.
Wer ist doof? Der Doktor Schlumm.**

»UNVERSCHÄMTHEIT!«, schrie plötzlich eine Stimme hinter Zippel. Er zuckte so stark zusammen, dass ihm die Rasselkette runterfiel, mitten in die Saiten der Harfe, was schon einen ziemlich scheußlichen Lärm machte. Aber vor allem stand da dieser riesige Awachsana, dieser grauenhafte Dr. Schlumm.

Sein Gesicht war rot vor Zorn und er fing an zu brüllen: »Wachpersonal! Putzfrauen! Polizei! Alle Mann hierher! Sauuuereiii!«

Zippel schaute panisch im Gang umher, wo er sich verstecken konnte, als er hinter Dr. Schlumms Rücken Paul entdeckte, der schnell seine Thermoskanne aus dem Rucksack holte, sie aufschraubte und hin und her schwenkte.

Dr. Schlumm schrie mit geschlossenen Augen: »Sofort räumen! Alles raus! Staub und Dreck weg! Morgen früh will ich hier kein Fitzelchen mehr sehen.«

Vor lauter blinder Brüllerei sah Dr. Schlumm nicht, wie Zippel an ihm vorbeiwischte und in Pauls Kanne verschwand.

Inzwischen hatte die Besuchergruppe vom Saal aus die Tür geöffnet. Alle sahen eine Weile lang verwundert zu, wie Herr Dr. Schlumm in dem vollgerümpelten Gang Stühle und Tische anbrüllte.

Bis die Bürgermeisterin irgendwann sagte: »Entschuldigung, Herr Schlumm, aber all diese Leute sind ziemlich weit gefahren, um an Ihrer Führung teilzunehmen, könnten Sie jetzt endlich mal was Interessantes über dieses Schloss erzählen, statt hier immer nur anzugeben oder rumzuplärren?«

»Nein«, schrie Herr Dr. Schlumm mit hochrotem Kopf, »die Führung ist beendet, auf Wiedersehen.« Mit diesen Worten verschwand er durch den dunklen Gang in Richtung seines Büros.

Die Gruppe stand ratlos an der Tür herum und guckte Herrn Dr. Schlumm hinterher.

Und nur Paul hörte, wie das rothaarige Mädchen flüsterte: »Gibt es eben doch.«

Die ersten Besucher wollten gerade durch den Krönungssaal

zurück in Richtung Ausgang gehen, als plötzlich jemand sagte: »Also, wenn Sie wollen …«

Paul drehte sich nach der Stimme um. Tatsächlich. Sein Papa. Er stand in der Mitte der Gruppe und sagte: »Ich kenne mich gut aus mit Geschichte und könnte Sie ein wenig führen, wär doch schade, wenn Sie jetzt alle nach Hause gehen müssten.«

Die Leute sahen einander erstaunt an. Einige zögerten kurz, aber Pauls Papa rieb sich die Hände, räusperte sich zweimal und begann: »Also gut, also gut. Es war nämlich so: In diesem Saal, in dem wir stehen, starb Kunibert der Stolze nach der Schlacht von Waldofing. An einer grausligen Schwertwunde, die er im Kampf mit Bertram dem Allerscheußlichsten erlitten hatte.«

Und Papa erzählte: Von Kunibert und seinem goldenen Schwert. Von der schrecklichen Schlacht von Waldofing. Und von Kuniberts großem Goldschatz, der angeblich bis heute irgendwo unter dem Schloss versteckt liegt. Es war plötzlich richtig spannend und die Leute hörten ihm fasziniert zu, und Paul staunte, wie viel sein Papa wusste, und als sie wieder am Eingang ankamen, waren eineinhalb Stunden vergangen und alle klatschten.

Als der Applaus vorbei war, trat die Bürgermeisterin aus der Gruppe hervor und sagte: »Vielen Dank, Sie haben uns allen den Tag gerettet. Ich bin als Bürgermeisterin zuständig für alle, die hier im Schloss arbeiten. Sie haben sicher genug zu tun mit Job und Familie, aber wenn Sie irgendwann mal hier Führungen machen wollen, würde ich mich wirklich sehr freuen.«

»Wirklich?!«, rief Papa und packte die Hand der Bürgermeisterin. »Wann kann ich anfangen?«

Mama guckte ihn erstaunt an. Die Bürgermeisterin schaute ihn erstaunt an und Paul schaute ihn auch erstaunt an.

»Äh, also, wenn Sie wollen, gleich morgen«, sagte die Bürgermeisterin.

»Abgemacht«, sagte Papa und schüttelte die Hand der Bürgermeisterin so fest, dass der Ärmel ihrer Bluse wild herumschlackerte.

»Aber …«, sagte Mama.

»Ich bin morgen um zehn da«, rief Papa.

»Aber …«, sagte Paul.

Papa sah ihn und Mama an und sagte: »Wir drei sollten jetzt mal ins Café gehen, ich muss euch längst was erzählen.«

Und so saßen sie fünf Minuten später auf der Terrasse des Museumscafés. Erst schaute Papa auf den Parkplatz, weil er nicht wusste, wie er anfangen sollte. Aber es war eh grad interessant auf dem Parkplatz. Da stand nämlich Herr Dr. Schlumm mit hochrotem Kopf und befahl zwei Polizisten, die er hatte rufen lassen, dass sie gefälligst sofort das Gespenst in seinem Schloss festnehmen sollten. Die beiden Polizisten sahen einander an und fragten dann höflich, ob Herr Dr. Schlumm vielleicht Fieber hatte.

Und gerade als Pauls Papa dann doch endlich was sagen wollte, kam ein Krankenwagen angefahren. Ein Arzt stieg aus und redete beruhigend auf Dr. Schlumm ein, aber da sagte Pauls Mama: »Komm, jetzt erzähl uns endlich, was du auf dem Herzen hast.«

Und da schaute Pauls Papa die beiden an, schluckte zweimal und sagte dann: »Ich bin seit fünf Tagen arbeitslos.«

Pauls Mama ließ die Kuchengabel sinken und hörte auf zu kauen, sodass man die Schokoteigbrösel in ihrem Mund sah, und Papa erzählte, dass seit Anfang der Woche ein Computer seine Arbeit macht und er deshalb nicht mehr gebraucht wird und dass er nur noch einen Monat lang sein Geld bekommt.

»Aber du bist doch Lehrer«, sagte Paul.

»Na ja«, meinte Pauls Papa. »Ich bin so was Ähnliches wie ein Lehrer. Ich bringe jungen Erwachsenen in unserer Firma bei, wie sie am Computer Programme schreiben, aber das sollen sie sich ab jetzt alle selber beibringen.«

»Aber warum hast du denn nichts gesagt?«, fragte Pauls Mama.

»Ich wollte ja die ganze Zeit«, sagte Pauls Papa. »Aber ich wusste nicht, wie. Und du hast doch deine Opernaufführung nächste Woche, da wollte ich dich nicht noch nervöser machen.«

»Und du bist viel zu Hause rumgesessen, oder?«, fragte Paul.

»Woher weißt du das?«, fragte Pauls Papa.

»So halt«, sagte Paul.

»Ja, jeden Tag«, gab Papa zu. »Ich hab im Internet nach neuen Jobs gesucht.« Dann lächelte er und sagte: »Und jetzt hab ich stattdessen hier durch Zufall einen gefunden. Jedenfalls einen kleinen. Fürs Erste. Und Geschichte, Ritter, Mittelalter, Burgen, das hat mich eh immer mehr interessiert als die Scheißcomputer.«

»Scheiße sagt man nicht«, sagten Paul und seine Mama gleichzeitig.

Kapitel 17

Als sie zwei Stunden später zu Hause ankamen, ging Paul sofort in sein Zimmer. Er hatte die Thermoskanne kaum aufgemacht, da schoss Zippel wie ein Tischtennisball aus der Öffnung raus.

Er schüttelte sich in der Luft zu seiner eigentliche Größe zurecht und fing sofort an zu schimpfen: »Scheußlich. Scheuuuußlich!«

»Was?«, fragte Paul.

»Alles!«, rief Zippel so laut, dass Paul ihn anzischte, er solle leiser reden.

»Alles!«, wiederholte Zippel flüsternd. »Diese stockdunkle Thermoskanne. Autofahren in dieser stockdunklen Thermoskanne. Endlos im Café rumsitzen in dieser stockdunklen Thermoskanne.«

»Tut mir leid«, sagte Paul, »aber irgendwie musste ich dich ja zum Schloss und wieder zurück bringen.«

»Genau!«, rief Zippel wütend. »Das Schloss. Das ist ja wohl am allerscheußlichsten. Welcher Awachsana ist auf die Idee ge-

kommen, dass Schlossgespenster in solchen Steinkästen wohnen? So ein Blödsinn. Schlossgespenster brauchen ein kleines gemütliches Türschloss, nicht so einen riesigen, renovierten Kasten. Herr Dr. SchreiSchlumm. Bäh! Da geh ich nie wieder hin. Nie wieder! Hörst du?«

»Ja«, sagte Paul leise. »Bin ja nicht taub. War wahrscheinlich eine bescheuerte Idee von mir. Aber ich weiß jetzt auch nicht mehr, was wir noch machen sollen.«

Paul sah wohl wirklich ziemlich traurig aus, wie er da so zusammengesunken und ratlos auf seinem Bett saß.

Zippel kam nämlich sofort angeschwebt und tätschelte ihm das Knie.

»Ach, das wird schon«, sagte er. »Mach dir keine Sorgen. Wirklich wahr.«

»Ach ja?«, fragte Paul.

»Latürnich«, sagte Zippel. »Wenn du mal nicht weiterweißt, hilft dir oft ein guter Geist. Altes Gespenstersprichwort, soeben ausgedacht von Zippel, dem Allerersten.«

In dem Moment klopfte es an Pauls Tür. Zippel flog, schwupps, an die Decke hoch. Pauls Mama öffnete die Tür. Sie hatte das Telefon in der Hand und sah etwas verwundert aus. »Frau Wilhelm möchte dich sprechen.«

Paul schluckte. Frau Wilhelm. Warum rief die bei ihm an? Hatte die gerade seinen Eltern erzählt, dass er bei ihr eingebrochen war? Paul nahm das Telefon und sagte nur leise: »Hallo?«

»Ist da der Paul?«, fragte Frau Wilhelm.

»Ja«, sagte Paul.

»Hallo, Paul, hier ist Frau Wilhelm. Komm doch bitte mal zu mir hoch.«

»Äh. Jetzt?«, fragte Paul.

»Wenn du Zeit hast, ja.«

Paul versuchte, möglichst ruhig zu antworten. »Ist gut«, sagte er und legte auf.

»Was will denn Frau Wilhelm von dir?«, fragte Mama.

»Keine Ahnung«, sagte Paul und zog seine Schuhe an. Er zitterte so sehr, dass er kaum die Schleife zubekam. Ohne sich umzudrehen, rief er »Bis gleich!« in den Flur und ging raus. Mannomann. Was wollte die denn jetzt? Aber immer noch besser, sie schimpfte mit ihm, als dass sie runterkam, um bei seinen Eltern zu petzen. Er ging langsam die Treppe hoch. Es knarzte bei jedem Schritt. Drei Stockwerke, das sind ziemlich viele Stufen, wenn man Angst hat, was einen am Ende erwartet. Als er oben ankam und gerade klingeln wollte, sah er, dass bei Frau Wilhelm die Tür einen Spaltbreit offen stand.

»Komm rein«, rief sie von innen, als er vorsichtig anklopfte.

Paul schob die quietschende Tür auf. Der Flur war leer. Hinten im Wohnzimmer brannte Licht. Sonst war alles dunkel. Puuh … Zögernd ging er den engen Gang runter. Im Dunkeln sahen die leeren Bilderrahmen noch unheimlicher aus als tagsüber.

»Hallooo?«, fragte er durchs Dunkel.

»Hier im Wohnzimmer«, rief Frau Wilhelm mit ihrer krächzenden Stimme.

Paul schluckte. Die alten Holzdielen knarzten. In der Küche tropfte der Wasserhahn, plock, plock, plock. Noch drei Schritte,

dann stand er an der Tür zum Wohnzimmer. Frau Wilhelm saß in dem Sessel, in dem er letztes Mal gesessen hatte, und schaute auf das Regal mit den Schlössern. Wobei Paul nicht sehen konnte, ob sie das Regal wirklich anschaute. So von der Seite sah er ja nur ihr seltsam zusammengekniffenes linkes Auge, das jetzt noch faltiger wirkte als sonst.

»Komm schon rein«, sagte sie und zeigte auf den zweiten Sessel, »und setz dich hier zu mir.«

Paul ging um Frau Wilhelm herum und setzte sich in den alten Sessel. Jetzt drehte sie ihren Kopf langsam in seine Richtung, sah ihn mit ihrem einen Auge groß an und fragte: »Na? Bist du alleine gekommen?«

»Äh, ja«, sagte Paul und schluckte. »Warum? Hätte ich meine Eltern mitbringen sollen?«

Plötzlich fand er die Idee, dass seine Eltern hier wären, sehr angenehm. »Soll ich sie schnell holen?«, fragte er und wollte schon aufspringen.

Frau Wilhelm lachte leise. »Bloß nicht! Bleib, wo du bist.« Sie streckte ihre knochige Hand aus, um ihn am Aufstehen zu hindern. »Wir zwei sollten uns alleine unterhalten.« Paul saß stocksteif da. Frau Wilhelm zeigte auf das Tischchen zwischen den beiden Sesseln. Da stand ein Schälchen mit schwarzen Kugeln. »Möchtest du eine?«, fragte sie.

»Nein, danke«, sagte Paul. Wollte sie ihn vergiften? Frau Wilhelm nahm selbst eine von den Kugeln und biss die Hälfte ab. »Die Pralinen hab ich früher immer mit meinem Mann gegessen«, sagte sie.

»Danke«, sagte Paul, »aber es gibt gleich Abendessen bei uns.«

Frau Wilhelm sah ihn wieder an. Vielleicht wirkte ihr eines Auge nur so groß, weil sie das andere immer zukniff. Sie fixierte ihn mit ihrem gesunden, blauen Auge, sagte sicher zehn Sekunden lang gar nichts und fragte dann: »Wie heißt es denn?«

»Was?«, fragte Paul. »Wer?«

»Na, komm«, sagte Frau Wilhelm, »ich bin zwar uralt, aber nicht urdoof.«

Paul schluckte. Er fühlte sich ertappt. Um ein bisschen Zeit zu gewinnen, fragte er: »Was ist eigentlich mit Ihrem einen Auge los?«

»Na ja«, fragte Frau Wilhelm zurück, »was ist mit Herrn Ritsches Auge los?«

»Ach, das«, sagte Paul, »das ist doch was anderes. Der hat sich verletzt, als er gestern unser Schloss angeschaut hat.«

»Ja genau«, sagte Frau Wilhelm, »das hat er mir erzählt. Und ob du's glaubst oder nicht, bei mir war das ganz ähnlich. Ist nur 75 Jahre her. Es war am 10. August. Das werd ich nie vergessen, weil es der schlimmste Tag meines Lebens war. Und der schönste.«

»Warum?«, fragte Paul. »Was ist denn passiert an dem Tag?«

»Ich war damals ungefähr so alt wie du«, sagte Frau Wilhelm. »Acht Jahre. Und ich hab mit meinen Eltern in der Wohnung im Erdgeschoss gelebt.«

»Ach so?«, sagte Paul, der selbst nicht wusste, worüber er sich mehr wunderte: darüber, dass Frau Wilhelm mal so jung gewesen war wie er. Oder darüber, dass sie schon als Kind hier im Haus gewohnt hatte.

So als hätte sie seine Gedanken gehört, sagte Frau Wilhelm: »Ich bin sogar hier im Haus geboren. Aber das ist eine andere Geschichte. Jedenfalls war ich ein Schlüsselkind. So wie du. Meine Eltern hatten einen kleinen Laden. Wir haben Knöpfe verkauft und Hosenträger, Nähzeug und Stoffe. Meine Eltern haben den ganzen Tag gearbeitet und wir hatten trotzdem kaum Geld. Manchmal gab es abends einfach nur Milch, ohne was zu essen. Na, das ist schon wieder eine andere Geschichte.«

Sie steckte die zweite Hälfte der Praline in den Mund, schloss dabei ihr gesundes Auge und kaute langsam und stumm vor sich hin. Es schien ihr wirklich zu schmecken. Dann rieb sie die Hände gegeneinander und sagte: »Jedenfalls kam ich eines Nachmittags nach der Schule nach Hause, und da hab ich ein seltsames Geräusch gehört, als ich die Tür aufsperren wollte. Es klang, als würde jemand in der Tür reden. Als ich ins Schlüsselloch geschaut habe, kam plötzlich eine Wolke aus Staub und Rost raus. Und es war wohl auch ein kleines Eisenstückchen dabei. Ich hab den Kopf nicht schnell genug zurückgezogen. Damals gab es noch nicht so gute Ärzte wie heute und so hab ich mein linkes Auge verloren. Aber dafür hab ich danach einen Freund gewonnen. Vielleicht den besten, den ich je hatte.«

Sie schaute Paul mit ihrem blauen Auge an und sagte leise, als würde sie ein Geheimnis verraten: »Er hieß Quockel.«

»Quockel?«, fragte Paul. »Quockel? Was ist denn das für ein Name?«

»Na ja, wenn er so im Türschloss rumkruschtelte und vor sich hin quasselte, klang das wie quockelquackelquockelquackel.« Sie lachte leise, als sie das Gespenstergeplapper nachmachte. Dann sagte sie: »Er hat fast ein Jahr lang bei mir gewohnt. Es war sooo lustig mit ihm. So schön. Mein Quockel hat wahnsinnig gern gesungen. Und dauernd Blödsinn gemacht. Einmal waren wir auf dem Speicher, direkt hier über meiner Wohnung. Da gibt es dieses vergitterte runde Fenster, kennst du das? Wir saßen hoch über der Stadt und haben von da oben Haferflocken auf alle vorbeikommenden Spaziergänger geworfen. Es war mitten im Sommer, ich war barfuß, und Quockel rief immer, wenn er die Haferflocken runterrieseln ließ: »Es schneit! Es schneit!« Frau Wilhelms Schultern wackelten, als sie lautlos lachte.

Paul schaute die klapprige Frau Wilhelm an, die anscheinend

früher mal barfuß auf dem Speicher saß, ihre Kinderbeine durch die Luft baumeln ließ und lachend Haferflocken auf die Straße runterwarf.

»Und Quockel liebte Kohle«, sagte Frau Wilhelm.

»Kohle?«, fragte Paul.

»Damals gab es noch keine Heizungen«, erklärte Frau Wilhelm. »Wir hatten einen Ofen in der Küche. Und einen Kamin im Wohnzimmer. Beide wurden mit Kohlebriketts geheizt, also mit so schwarzen Kohleklötzen. Da hat Quockel sich dran gerieben und gerubbelt, bis er ganz schwarz war, und fand es toll, weil er dachte, dass ich mich dann mehr vor ihm fürchte.«

»Und wie haben Sie Quockel verloren?«, fragte Paul.

»Er wurde eines Tages entdeckt. Von einem Nachbarn. Als ich in der Schule war. Wahrscheinlich hat ihn sein Gesang verraten. Ein Nachbar hatte jedenfalls eine Stimme in unserer Wohnung gehört und die Polizei gerufen, weil er dachte, da seien Einbrecher. Die Polizisten haben unsere Wohnungstür aufgebrochen und Quockel mitgenommen. Als ich nach Hause kam, war die Wohnung völlig verwüstet, es muss eine ziemlich lange Verfolgungsjagd gewesen sein. An den Wänden waren schwarze Spuren, ich glaube, er hatte sich gerade wieder mit Kohlenstaub eingerieben und konnte sich deshalb nicht an der Decke verstecken. Die Polizisten haben ihn in ein streng geheimes Forschungsinstitut gebracht und ich hab ihn nie mehr gesehen.« Frau Wilhelm schüttelte traurig den Kopf.

»Aber ...«, sagte Paul. »Wenn es so ein streng geheimes Institut war, woher wissen Sie das dann überhaupt?«

»Ich bin am nächsten Tag zur Polizei gegangen und hab dort nach Quockel gefragt. Zwei der Polizisten haben mich immer nur streng angeschaut und gesagt, es gibt keine Gespenster und ich soll nach Hause gehen und nie mehr solchen Quatsch erzählen. Aber der dritte, der war nett. Der lief mir nach, als ich weinend wegging, und hat mir das mit dem Institut erzählt. Ich hab dann sogar versucht, in dem Institut einzubrechen, aber ein Wachmann hat mich natürlich erwischt und nach Hause gebracht. Ich hab danach immer gehofft, dass Quockel selbst wiederkommt. Oder ein anderer seiner Art.«

Frau Wilhelm verstummte und schaute lang auf ihre Schlössersammlung. In der Küche hörte man den Wasserhahn vor sich hin tropfen, ansonsten war es mucksmäuschenstill.

»Zippel«, sagte Paul.

»Wie bitte?«, sagte Frau Wilhelm.

»Meines heißt Zippel.«

Frau Wilhelm klatschte in die Hände und warf ihren Kopf in den Nacken: »Ziiippel!«, rief sie ganz verzückt. »Wunderbar! Sagt er etwa auch immer *Zippelzefix*, wenn er sich ärgert?«

»Ja«, sagte Paul.

»Zippelzefix«, wiederholte Frau Wilhelm. »Genau wie Quockel damals.«

»Echt?«, wunderte sich Paul. »Sind die verwandt?«

»Das weiß ich nicht«, sagte Frau Wilhelm. »Aber was ich weiß: Die haben schon recht, wenn sie sich vor Erwachsenen fürchten.«

»Awachsana«, sagte Paul, so wie es Zippel immer sagte.

Frau Wilhelm gluckste: »Genau: vor Awachsanan.« Dann

klang sie wieder ernst: »Meine Eltern haben danach alle Schlösser verklebt. Sie waren ganz schockiert, dass ich ein ganzes Jahr lang einen heimlichen Freund bei uns wohnen hatte. Und sie wollten auf keinen Fall, dass noch mal ein Schlossgespenst zu uns kommt. Ich hab versucht, ihnen zu erklären, dass Quockel mein bester Freund war. Sie haben nur genickt und Jaja gesagt und dann haben sie trotzdem alle Schlösser verklebt.«

»Also stimmt es wirklich, dass Schlossgespenster immer in Türschlössern leben?«

»Natürlich stimmt das.«

»Sammeln Sie deshalb die Schlösser?«

»Ja. Ich hab mein Leben lang gehofft, dass sich noch mal ein Schlossgespenst bei mir einnistet. Aber jetzt ist stattdessen eines zu dir gekommen. Besser so. Mit mir alter Schachtel würde sich dein Zippel nur langweilen. Und deshalb ...« Sie stützte sich an der Lehne ihres Sessels ab, stand langsam auf und ging zum Regal rüber. »Deshalb schenke ich dir jetzt eines von meinen Schlössern. Wenn ich es richtig verstanden habe, braucht dein Zippel doch dringend ein neues Zuhause.« Sie schaute ihre Sammlung an. Dann zeigte sie auf ein viereckiges Metallschloss mit Verzierungen und sagte: »Das hier scheint ihm ja besonders gut gefallen zu haben. Er muss da drin Loopings geflogen sein, so viel, wie da rausgewirbelt ist.«

Paul sah, dass vor dem Schloss ein kleines Häufchen Rost und Staub lag.

»Oh«, sagte er. »Haben Sie deshalb rausbekommen, dass ich auch ein Gespenst habe?«

»Na, das war wirklich nicht schwer«, sagte Frau Wilhelm, während sie das große kantige Schloss vorsichtig aus dem Regal nahm. »Erst sitzt du hier bei mir und starrst mein Regal an. Als du weg warst, lagen die kleinen Staubhäufchen vor den Schlössern. Dann verletzt sich Herr Ritsche am Auge. Und kurz darauf hängt da noch der Brief an Herrn Ritsche im Treppenhaus. Als ich Herrn Ritsche darauf angesprochen habe, erzählte er mir, wie seltsam seine Wohnung plötzlich aussieht. Insgesamt musste ich echt keine große Detektivin sein.«

Sie sah Paul an und sagte: »Ich bin ganz und gar auf eurer Seite. Aber passt in Zukunft besser auf, hörst du? Alle beide. Zippel soll doch für immer bei dir bleiben.«

Paul nickte.

Frau Wilhelm hielt das Schloss in beiden Händen und überreichte es Paul.

»Oh«, sagte Paul. »Ganz schön schwer.«

»Ja«, sagte Frau Wilhelm. »Aber ich glaube, sehr gemütlich.«

»Vielen Dank«, sagte Paul. »Ehrlich wahr.«

»Bitte, bitte«, sagte Frau Wilhelm, »grüß Zippel von mir. Ihr könnt jederzeit zu zweit kommen.« Sie zeigte auf ihre Schlössersammlung. »Würde mich wirklich sehr freuen, wenn er meinen Spielplatz ab und zu benutzt. Und ich würde ihm auch gern von Quockel erzählen. Wär doch gut, wenn er wüsste, dass es ein paar von seiner Sorte gibt. Aber wahrscheinlich solltest du jetzt erst mal gehen, sonst wundern sich deine Eltern noch. Ich bin auch müde. Aber wollt ihr morgen mal vorbeikommen?«

»Gern«, sagte Paul. »Wiedersehen, Frau Wilhelm.«

»Wiedersehen, Paul.«

Als sie ihn jetzt anlächelte, fand Paul ihr Gesicht richtig schön. Die vielen Falten um ihr kaputtes linkes Auge sahen aus wie bei einem kugelrunden, schrumpeligen Apfel.

Kapitel 18

Ja, und eigentlich war das fast schon die ganze Geschichte. Als Paul wieder in seine Wohnung runterkam, lag ein Zettel auf dem Küchentisch:

> Lieber Paul, wir sind ein Eis essen gegangen am Roecklplatz, um Papas neuen Job zu feiern. Wenn du willst, komm einfach nach.
> Kuss, Mama und Papa.

Aber Paul wollte ganz was anderes feiern. Er rief nach Zippel, der sich bei ihm im Zimmer versteckt hatte und jetzt in den Flur geschwebt kam. Als er das Schloss sah, flog er so wilde Loopings durch den ganzen Flur, dass Paul Angst hatte, er könnte irgendwann gegen die Wand knallen.

Dann haben sie gemeinsam das Schloss in Pauls Bücherregal gestellt, und da schläft Zippel seither und sagt jeden Morgen, er hat in seinem ganzen Leben noch nie so gut geschlafen wie in Frau Wilhelms Schloss, ehrlich wahr. Und dass Frau Wilhelm eh die netteste von allen Awachsanan auf der ganzen Welt ist.

Als Herr Ritsche am Montag kam, um das Schloss auszubauen, hat Paul ihm sogar geholfen, und es ist kein einziges Werkzeug die Treppe runtergefallen und es kam auch keine Rostwolke mehr aus dem Schloss. Dafür waren danach alle Werkzeuge in seinem Werkzeugkasten nach Farben sortiert, und Zippel sagte, der Herr Ritsche ist eigentlich echt ein netter Awachsana. Und am Dienstag hatte Pauls Mama ihre Opernaufführung und sie hat richtig schön gesungen. Das Essen zu Hause wurde danach ehrlich gesagt auch nicht wirklich besser, aber das ist ja nicht so wichtig.

An dem Abend aber, an dem Pauls Eltern Eis essen waren, da musste Zippel sich natürlich erst mal einrichten in seinem neuen Zuhause, und Staub und Rost flogen nur so durch die Gegend, während er da drinnen ein kleines Schlossgespenster-Einzugsliedchen sang. Als er endlich damit fertig war, sagte Paul, dass er mal was ausprobieren will. Und Zippel sagte, was ausprobieren findet er immer sehr gut, und was das denn sei, was sie jetzt ausprobieren. »Komm mit«, sagte Paul. Und dann sind sie ins Treppenhaus und ganz nach oben in den sechsten Stock. Und Zippel dachte, sie besuchen Frau Wilhelm, denn die fand er ja jetzt noch viel toller als vorher, also diese Frau Wilhelm, rambazamba, ehrlich wahr. Aber denkste, Paul stieg die enge Treppe auf den Speicher hoch, wo er sich noch nie alleine hingetraut hatte, da oben ist es schließlich dunkel, leer und staubig. Mit Zippel war ihm das aber egal und Zippel findet dunkel und staubig ja eh sehr gemütlich. Paul sah, dass Frau Wilhelm recht gehabt hatte, am Ende des Speichers war tatsächlich ein uraltes vergittertes Fenster, das bis zum Boden runterreichte. Als Paul das Fenster aufmachte, quietschte es so fürchterlich, dass Zippel sagte, das sei doch mal ein richtig gutes Fenster. Draußen strahlte die Septembersonne alle Dächer golden an und man sah über die ganze Stadt, und Paul setzte sich auf den Boden und ließ die Beine durch die Eisenstäbe baumeln und Zippel setzte sich sehr elegant daneben. Er guckte vorsichtig die sieben Stockwerke runter und sagte: »Huiuiui, das ist sogar für mich sehr hoch.«

Paul holte eine Tüte aus seiner Hosentasche, die er aus der Küche mitgenommen hatte, streute eine Prise Mehl in die Luft und sagte zu Zippel: »Schau, Schnee im Sommer.«

Zippel war natürlich begeistert. Paul streckte ihm die offene Tüte entgegen, Zippel flog kopfüber in die Tüte rein, wedelte mit seinen Armen wild darin herum und rief: »Achtung, Schneesturm, Achtung, Schneesturm!«

Und so schneite es erst ganz leisen Mehlschnee und dann ein kurzes Zippel'sches Mehlunwetter, und Paul hielt solange die Tüte, aus der es rausstaubte wie aus einem Vulkan, schaute über die goldenen Dächer und wusste, er wusste ganz genau, dass das Leben mit Zippel jetzt aufregend und groß und schön wird. Und in der Ferne sah man die ersten Kräne, die schon die Geisterbahn für das Oktoberfest aufbauten.

Endlich! Neues vom lustigsten Schlossgespenst aller Zeiten

www.dtv.de